NARRATORI ITALIANI

Dello stesso autore presso Bompiani

Il sopravvissuto
Il rumore sordo della battaglia
La letteratura dell'inesperienza
Una storia romantica
Il bambino che sognava la fine del mondo
Gli anni che non stiamo vivendo
La seconda mezzanotte
Letteratura e sopravvivenza
Dal tragico all'osceno

ANTONIO SCURATI
IL PADRE INFEDELE

ROMANZO
BOMPIANI

Published by arrangement with
Marco Vigevani Agenzia Letteraria

© 2013 Bompiani / RCS Libri S.p.A.
Via Angelo Rizzoli 8 – 20132 Milano

ISBN 978-88-452-7409-1

Prima edizione Bompiani ottobre 2013
Quinta edizione Bompiani giugno 2014

Ai nuovi padri che, disarmati,
stanno imparando la tenerezza delle culle

Prologo

Ieri mattina, all'improvviso, mia moglie è scoppiata a piangere in cucina. Erano le dieci in punto. Lo so perché l'orologio canoro da parete, che teniamo affisso giusto di fianco alla cappa ad aspirazione forzata, aveva appena segnato il tempo riproducendo il canto masterizzato del picchio rosso maggiore. Un verso inconfondibile, pressoché identico a una risata prolungata.

In quel preciso istante, come se si fosse convenuto un segnale con un regista occulto, Giulia ha erotto in un pianto convulso. Per lunghissimi secondi sarebbe stato del tutto inutile chiedergliene ragione. D'altronde, io mi sono guardato bene dal farlo. La mia mente, dapprima indecisa tra le due diverse linee ritmiche offerte dal pianto e dal picchio, ha poi subito optato per la seconda. Mi sono dunque sintonizzato con il suono emesso dal becco a scalpello mentre, per delimitare il territorio, tambureggiava sui rami morti.

Giulia, intanto, singhiozzava di quell'apnea che avevo sempre ritenuto appannaggio esclusivo dell'infanzia. Avete presente quando i bambini piangono fino a farsi mancare il fiato, gettando i genitori in un breve intervallo di colpevole terrore? Io quell'apnea ricattatoria l'avevo osservata più volte in Anita, la nostra bambina di tre anni, e mi era sempre parsa una versione embrionale e benigna del suicidio dimostrativo: il mondo – cioè mia madre

7

e mio padre – è stato crudele con me e io lo ripago togliendomi ostentatamente la vita polmonare per autosoffocamento.

Ma Giulia è una persona seria, lo è sempre stata, e io l'ho amata anche per questo. Non stava recitando, purtroppo. Tra i due quello melodrammatico sono io. Ancora qualche attimo di pianto sincopato e poi, stremata, ha detto: "Forse non mi piacciono gli uomini."

La cucina a un tratto si è riempita. L'aria era così pregna di significati reconditi, probabilmente destinati a non cedere mai del tutto il proprio enigma, che sembrava non esserci più posto per noi due. Ci si muoveva a stento in quell'ambiente addensato dal senso arcano delle nostre esistenze e io rimanevo immobile, come si consiglia a chi in mare aperto dovesse imbattersi in uno squalo. Mi fingevo ente inanimato – boa, tronco cavo, relitto – per scoraggiare l'attacco mortale.

Ora anche io respiravo a fatica. Non muoverti, non fiatare se ti riesce, mi ripetevo. Adesso l'unica cosa da fare era pensare. L'ho fatto. La prima cosa che ho pensato è stata: grazie a Dio finalmente mi parla. Anche il secondo pensiero mi ha portato grande sollievo: grazie a Dio sono innocente.

Mi appariva infatti chiarissimo che l'ammissione di mia moglie, simile a un solenne segno della croce tracciato nell'aria asfittica della nostra cucina tramite la violenza sonora di sole sei parole – "Forse non mi piacciono gli uomini" –, mi assolveva da ogni mia colpa di padre infedele. Passata, presente e futura. Indulgenza plenaria. Soltanto al terzo pensiero mi sono riscosso da quel miraggio, chiedendomi che cosa Giulia avesse davvero inteso dire. Mi sono concesso un breve giro di ipotesi.

Prima ipotesi. Se non gli uomini, a Giulia piacevano forse le donne? L'ho scartata subito. E non per un malinteso orgoglio virile, ma perché quella tesi romanzesca mal si accordava al realismo domestico delle crisi coniugali. Per una volta avrei cercato di essere anch'io una persona seria; non mi sarei perciò rifugiato nel colpo di teatro. Avrei accettato di fare i conti con la banale prosaicità della vita di tutti i giorni, quella che scorre per capillarità dal cuore di un universo annoiato nella moltitudine delle nostre quotidiane insoddisfazioni.

Seconda ipotesi. Giulia aveva forse confessato la propria misantropia? Non le andava a genio l'umanità? Ho subito scartato anche questa. Serietà, ci voleva serietà. E nessuna sarcastica autoindulgenza.

Accantonato dunque anche il sarcasmo – questa malattia pandemica dello spirito contemporaneo – ho provato finalmente comprensione per quella donna che piangeva in cucina, la donna che un tempo avevo amato e alla quale avrei sempre voluto del bene. Allora mi sono alzato e l'ho accarezzata. Le ho accarezzato il volto come fanno le madri, non il capo come fanno i padri.

Illuminato di rimbalzo dalla pietà di quel gesto, ho trovato risposta all'interrogativo di prima: piangendo, dubitando di sé, generalizzando, Giulia mi aveva inequivocabilmente comunicato che non le piaceva più l'uomo che le sedeva di fronte nella nostra cucina. Questo qui. Sì, proprio questo qui. Come darle torto?

Era il 30 settembre dell'anno 2011. Indossavamo ancora magliette estive a maniche corte a causa del persistere fuori stagione sul settentrione d'Italia di un'area di bassa pressione africana, il presidente del consiglio era inquisito con l'accusa di favoreggiamento della prostituzione minorile, e il differenziale tra titoli di stato e *bund* tedeschi aveva sfondato il tetto dei cinquecento punti. Entro pochi minuti, scandendo l'undicesima ora antimeridiana, il barbagianni avrebbe dato il cambio al picchio rosso maggiore sul quadrante del nostro orologio da muro.

In quel momento mia moglie Giulia e io ci conoscevamo da otto anni, ci amavamo da sette (sette io, a dire il vero, e sei lei), eravamo fidanzati ufficialmente da cinque, sposati da quattro, madre e padre di nostra figlia da tre. Ora, però, non c'era più niente da fare. Tutto era già accaduto e il nostro scopo lo avevamo mancato. In quanto moglie e marito, non ci rimaneva che decidere se vivere o morire per qualcosa in cui, comunque, non credevamo più.

PARTE PRIMA

L'età adulta

Erano le nove di un mattino qualsiasi della metà degli anni Novanta e stavo per discutere la mia tesi di laurea in filosofia. In piedi nel corridoio di un edificio vecchio di cinquecento anni, attendevo trepidante l'arrivo del professore, reggendo tra le mani un grosso volume di seicento pagine rilegato in finto cuoio costatomi due anni e mezzo di lavoro. Il professore tardava, io aspettavo, l'attesa aveva il fervore di una preghiera.

Mi ero invaghito subito, fin da quando ero una matricola, di quel docente di estetica che, nel grigiore universale, teneva corsi impavidi e sognanti sui massimi sistemi. I loro titoli altisonanti riecheggiavano ancora tra i muri scrostati di quelle antiche stanze: "La bellezza ci salverà", "Nietzsche contro Wagner", "Baudelaire poeta della modernità". Il professore era stato una promessa della filosofia occidentale, il più giovane cattedratico della sua generazione. Poi, però, proprio quando io avevo incrociato l'orbita discendente del suo astro, lo studioso brillante era uscito come un serpente dalla sua vecchia pelle. La muta lo aveva trasformato in un ospite fisso dei salotti televisivi. Agitare i grandi temi della cultura europea dell'ultimo secolo gli era servito da addestramento per i talk show di seconda serata. Ciononondimeno, io ero rimasto fedele a quel mio primo amore.

Il professore finalmente arrivò. Si trascinava più annoiato che stanco lungo il corridoio. Era alto, dinoccolato, macilento. Una cintura di capelli lunghi, unti, gli incoronava la calvizie. Mi raggiunse. "Ti avevo chiesto di scrivere un'introduzione in cui riassumevi in modo chiaro ed esaustivo l'intero lavoro," bisbigliò con voce irata, "invece hai sfornato tre paginette in cui spieghi perché la tua tesi non è suscettibile di avere un'introduzione." Il filosofo scuoteva la testa contrariato, mentre io osservavo le bollicine di saliva che gli esplodevano agli angoli della bocca. Il suo assistente, indietro di un passo, seguiva la scena di sottecchi. Era ancora giovane ma già curvo, pavido, viscido, intrigante, ligio al dovere e a un'orgogliosa, perentoria mediocrità. Nel giro di pochi anni sarebbe diventato preside della facoltà. Il portaborse provava piacere nell'assistere a quella scena, ne ero sicuro. Notai che si sfregava le mani congiunte sotto il petto, come se accarezzasse il fantasma di un cagnolino da grembo.

"Avanti, in fretta," mi intimò infine il filosofo con aria sorniona, "suggerisci tu le tre domande che dovrò rivolgerti durante la discussione."

Finalmente capii, fui costretto a capire. Il mio idolo non aveva letto una sola riga delle diciannovemiladuecento che avevo scritto. No, nessuna bellezza ci avrebbe salvato. La soglia della sala in cui mi sarei laureato non era ancora stata attraversata, ma avevo già fatto il mio ingresso nell'età adulta. Non c'erano donne accanto a me in quel momento, soltanto conoscenti prive di importanza, amanti avventizie, passanti. Fuori, intanto, aveva cominciato a piovere. Nei chiostri cadeva una pioggerella sciocca.

Dopo aver discusso la mia tesi di laurea uscii dalla sala professori: erano le 9,45 del mattino, io ero dottore in filosofia e fuori dalle mura antiche dell'università c'erano gli anni Novanta, sfavillanti di una luce torbida come un diamante ricettato. La fine del secolo non prometteva niente, e avrebbe mantenuto la promessa.

Ora che sono qui a ripensarci, quasi vent'anni dopo, la mia decisione di allora mi pare ineluttabile. Avevo appena conseguito una sudata laurea in filosofia discutendo una tesi immane sulla morte dell'arte in Hegel e, nemmeno un istante dopo, avevo già tratto le conseguenze di quella tesi decidendo di dedicarmi all'arte culinaria. La mia avventura con la filosofia finiva lì.

Certo, essendo figlio di uno chef che mi aveva insegnato il mestiere fin da bambino ero predisposto a quella scelta, ma non ero stato il solo a giungere a quelle conclusioni: in tutta Europa, proprio in quegli anni, la filosofia, la pittura e la letteratura stavano cedendo il posto alla gastronomia. Ben presto, ovunque ci si fosse voltati, ci sarebbe stato qualcuno che affettava un salame proclamando: "Io faccio cultura!" Soltanto alcuni anni prima sarebbe apparso impossibile che fra Platone e l'uovo in camicia, sebbene tartufato, fosse il secondo ad assumere la leadership culturale. Eppure sarebbe andata così. Nel giro di poco tempo, il supremo piacere intellettuale si sarebbe genuflesso davanti al flan di cardi e il piacere sensoriale si sarebbe cerebralizzato in speculazioni infinite. Ancora qualche anno e ci saremmo scoperti più poveri dei nostri padri, ma nemmeno questo avrebbe invertito la tendenza. Oltre le vetrine dei ristoranti, il popolo avrebbe continuato a ingozzarsi di cibo spazzatura e a sognare la tartare di coniglio invece della rivoluzione.

Insomma, a ben guardare, preferendo la gastronomia alla filosofia, io mi ero limitato a nuotare nella corrente di fine millennio.

Devo ammettere che per raccontare questa storia dal principio, determinato a risalire ai miei esordi nell'età adulta, ai prodromi del padre e del marito che ora sono diventato, ho dovuto tirare fuori dal cassetto l'album dei ricordi.

Degli anni dello studio universitario conservo soltanto due fotografie. Ora le ho entrambe qui davanti a me, su un tavolo sparecchiato del mio ristorante deserto. Galleggiano placide nell'orario di chiusura, appaiate e similari. Ritraggono infatti lo stesso luogo, seppure fotografato in momenti diversi.

Ciò che si vede nella prima immagine, la più grande, la più professionale, è il cortile centrale dell'antico Spedale di Poveri, detto Ca' Granda. Vi appare disanimato, lievemente offuscato dalla nebbia, perfetto nella sua eleganza rinascimentale. Lo volle Francesco Sforza in segno di gratitudine a Dio per la conquista del Ducato di Milano e lo progettò il Filarete. La sua prima pietra fu posta solennemente il 12 aprile 1456. Lo completarono i secoli seguenti, sempre grazie a lasciti di cittadini milanesi. Durante la Seconda guerra mondiale fu distrutto dai bombardamenti degli alleati angloamericani. In seguito fu ricostruito. Divenne un'università.

Sul tavolo numero 3, un tavolo d'angolo, ho poi un'altra foto scattata nello stesso cortile. Questo secondo scatto è lievemente sfocato, mosso, amatoriale, soleggiato. Vi compare un ragazzo, seguito dai suoi compagni, mentre invade il prato centrale del chiostro maggiore, severamente interdetto da una siepe fino ad allora invalicabile. Gli studenti hanno appena occupato l'università. È il 1990. È l'ultima occupazione di una lunga, stanca serie storica. Il loro movimento di protesta è stato battezzato "la Pantera". Da qualche parte, giù nel Lazio, una pantera è fuggita da un circo dandosi alla macchia. La pantera siamo noi.

Sebbene riproducano lo stesso luogo, le due immagini appaiono profondamente estranee l'una all'altra. L'unica cosa che davvero hanno in comune è la Torre Velasca, il maestoso grattacielo rovesciato edificato nel 1956, con la base in cielo e la cima in basso, su un'area del centro di Milano anch'essa devastata dalle bombe angloamericane. Nel 1990, quando lo studente della fotografia s'impadronisce allegramente dell'università assieme ai suoi compagni irrompendo in un prato proibito, la torre sovvertita stende la sua ombra su di loro. Un fungo atomico pietrificato. La Torre Velasca siamo noi.

L'animale in odore di felicità

Ricordo con esattezza l'altro momento fatidico in cui feci il mio ingresso nell'età adulta: stavo guardando la televisione.

Erano trascorsi quasi dieci anni dal giorno della mia laurea. Sfiatata la giovinezza, avevo speso quella prima decade della mia vita di uomo a purgarmi dalla velenosa idea della felicità. Quella sera, però, distrattamente vidi in tv lo spot della pasta Barilla e la tentazione, prepotente, ritornò. Mentre me ne stavo lì, imbambolato, a riconsiderare l'ipotesi di poter essere felice, mi accorsi che novanta secondi di pubblicità erano bastati a spazzare via dieci anni di duro lavoro su me stesso.

Dentro lo schermo c'era una giovane coppia di amanti. Belli di una bellezza insipida, i due innamorati, nel corso di un libero vagabondaggio estivo in una regione rivierasca, esplorando una bassa scogliera a picco sul mare, capitavano accidentalmente in una torre d'avvistamento abbandonata da secoli. Vi entravano, la visitavano, si emozionavano per la romantica avventura, i loro sguardi s'incrociavano, i corpi si apprestavano all'amore, lui addirittura si sfilava la maglia, ma poi il richiamo della cultura balneare prevaleva su quello dell'eros: il maschio sgusciava in una feritoia della torre e si andava a tuffare tra le onde. Lei, dolcissima stella del ritorno, lo seguiva con lo sguardo rapito, sognante, presago dell'imminente ricongiungimento, e intanto

17

gli approntava il pasto estraendo dallo zaino una confezione di maccheroni.

Qui interveniva la magia crudele della dissolvenza incrociata, capace di bersi l'eternità in un secondo di ellissi: i due innamorati della prima sequenza erano adesso più vecchi di una dozzina d'anni, erano marito e moglie, avevano dei figli, ma abitavano sempre nella torre d'avvistamento, ora rimodernata. Ovviamente si amavano ancora e, soprattutto, consumavano ancora la stessa marca di pasta. Poi lo slogan svaniva ("Dove c'è Barilla c'è casa"), il jingle sfumava, la dissolvenza virava verso il nero. Lo spot era finito, e la ricreazione con lui. Si tornava ai tetri programmi d'attualità. Tutto qui. Dopo un secolo di banalità del male, la promessa di felicità dischiusa dal nuovo millennio non poteva che essere altrettanto banale.

Un momento scolpito nel tempo. Uno di quei momenti che non hai mai vissuto ma che non potrai mai dimenticare. In quei momenti al di fuori dello schermo ci sei soltanto tu. Sei solo nel tuo miniappartamento metropolitano, nel centro geometrico di una grande pianura, equidistante dal mare centinaia di chilometri in ogni direzione. Hai trentatré anni e da quando ne avevi venticinque hai deciso che l'amore è una diceria destituita di ogni fondamento. Ne hai poi rigorosamente dedotto che la famiglia è un reperto fossile di ere remote e la generazione di figli una leggenda favolosa. Di conseguenza, hai stabilito di abbracciare un'etica stoica aggiornata al terzo millennio dell'era cristiana: conservare te stesso, conducendo una vita conforme all'ordine perfetto del mondo – giorni feriali a sgobbare in grandi aree urbane, fine settimana al lago o in montagna e periodo estivo alle Maldive – del quale ordine non fa parte la felicità coniugale. Soprattutto hai dovuto negare ogni valore ai sentimenti, ultimo dogma di un mondo di miscredenti. Apatia, questo l'antidoto al veleno delle emozioni riconfermate nel tempo. Lo hai ingerito per dieci anni, una minuscola pillola di amarezza dopo l'altra, a piccole dosi omeopatiche.

Ma adesso è uno di quei momenti. Ora sei fuori dallo schermo. Ora hai visto lo spot della pasta Barilla. E ti sei sentito solo. Non c'è niente da fare, non si torna indietro. Hai respirato il miasma, il flagello aereo è sceso su di te. E così ti lasci persuadere a ricominciare la ricerca della felicità. Cancelli dal tuo breviario la massima che ti ha guidato fino a ieri – "Non c'è peggior nemico della felicità che la falsa felicità" – e rimetti la gaiezza, la morigerata contentezza domestica in cima alla lista delle dotazioni necessarie per condurre una vita ben temperata. La vita dell'uomo saggio, dell'uomo retto. La vita dell'uomo. Rimetti quella parolina equivoca in cima alla lista della spesa. Felicità. In suo nome ridiventi umile, docile, bonario. Vai al supermercato.

Lì troverai tutte le cose degne della tua ricerca non per la loro intrinseca capacità di donarti la contentezza, ma perché milioni di altri uomini, non peggiori né migliori di te, le hanno desiderate per la propria gioia e continuano a farlo, non diversamente da come milioni, miliardi di maschi prima di te si sono accoppiati stabilmente con femmine prese in moglie, con loro hanno generato dei figli e al loro fianco sono invecchiati vedendoli crescere e andarsene. Va così, di questi tempi: è l'ideologia del supermercato a creare nella mente maschile la psicologia del marito.

Guardati attorno. Solidarizza con la moltitudine dei clienti che sciamano lungo i corridoi del supermarket, fraternizza con i tuoi nuovi compagni di corsia. Sentiti parte dell'umanità, di quell'umanità la cui essenza riposa nel vaneggiamento della felicità. È su quel metro che si misura l'imperfezione del mondo, la sua stortura. È in nome di quell'idea che ci si batte contro l'egoismo, il nichilismo maturo, le sniffate di cocaina nei cessi delle discoteche. Lo si fa in vista di una rasserenante felicità.

È in istanti come questo che smetti la superbia, l'orgoglio di sentirti un individuo al cospetto del cosmo, la frenesia sessuale del gibbone. Adesso sei pronto per la felicità a ogni costo, per la felicità a basso costo. Oltre la promessa dell'essenziale – amore, famiglia, figli – ti attende una eudaimonia della confezione risparmio, una beatitudine da grande magazzino. Il demone buono della grande distribuzione adesso è con te, ti guiderà in tutti gli anni a venire nei reparti dei detersivi, dei cibi in scatola e di quelli surgelati mentre terrai per mano i tuoi figli bambini.

In seguito capirai che il mito della famiglia e la fantasmagoria consumistica sono due facce della stessa medaglia. Un giorno lontano scoprirai poi che nessuna delle due sarà mai la tua faccia. Dovranno però trascorrere molti anni, per ora ne hai solo un vago presentimento. Sì, perché sotto sotto intuisci fin da ora che, se nell'Ottocento il conte Tolstoj scrisse che tutte le famiglie felici si somigliano ma ogni famiglia è infelice a modo suo, oggi, al principio del ventunesimo secolo, l'unica famiglia felice è quella dei frollini con la granella di zucchero.

Ma tutto questo non conta più. Ora hai visto la pubblicità della pasta di grano duro. Ora è l'alba di un nuovo giorno. La tua vita adulta comincia adesso. Sei pronto a scambiare l'esistenza festosa e disperata del maschio solitario con il rito collettivo e prefestivo della coda al supermercato, il culto iniziatico della vita impossibile con il senso comune dell'unica vita possibile. Dì dunque addio alla nobiltà sdegnosa del tuo misantropo disprezzo per il mondo. Dì addio al ridicolo eroismo della giovinezza. Dì addio all'artista. Schiarisci la gola, rendi l'onore delle armi a tutto te stesso e poi... poi fatti una famiglia.

Tu ora sei l'uomo della pubblicità, che non è più l'animale razionale dei filosofi greci ma nemmeno l'animale che sa di dover morire. Tu ora non sei più un ragazzo, sei un uomo. E l'uomo, d'ora in avanti, sarà l'animale che potrebbe essere felice. Sarà l'animale in predicato di beatitudine. L'uomo, l'animale in odore di felicità.

In principio fu la misoginia

In principio fu la misoginia.

Non mi piace per niente doverlo ricordare ora che, anni dopo il nostro incontro, Giulia è la madre di mia figlia e io sono un altro uomo, ma ho deciso di confessarmi a questo diario e, voltandomi indietro, devo ammettere che il mio amore per quella donna particolare che avrebbe generato mia figlia e, con lei, me come padre, germinò dall'avversione per le donne in generale. E fu vero amore, sia ben chiaro.

No, non è esatto. Fu senz'altro vero amore, su questo non ritratto, ma se m'innamorai della donna che avrei sposato per amore non fu in odio alle altre, bensì perché non ne potevo più di me stesso. E quel me stesso era un maschio misogino. Insomma, mi convertii all'amore perché mi ero venuto a noia. Bisogna per forza passare attraverso il tedio di sé, se si vogliono raggiungere certi risultati.

Nemmeno sarebbe corretto affermare che le donne mi facessero paura. Questa del maschio spaventato fino alla fuga dalle femmine è una favola oggi molto diffusa. Ha dalla sua la vastità insondabile dei luoghi comuni, e con essa ci schiaccia, ma non per questo è meno falsa. Al contrario, infatti, ben lungi dal fuggirle, io le donne le cercavo e le trovavo. Le concupivo e le conoscevo. Non mi spaventavano affatto. Mi faceva invece letteralmente orrore l'immagine che di me si specchiava in loro.

Dimenticate perciò lo stereotipo del misogino sessuofobico omosessuale in latenza. Sono maschi quelli che odiano le donne. E dimenticate anche lo stereotipo del *latin lover*, seduttore incosciente e impenitente che le degrada a mero strumento del proprio piacere sessuale. Sono futuri padri quelli che odiano le donne. La misoginia non è frutto di ottusità, d'ignoranza. Non è un bestione cieco, ignaro di sé, il maschio misogino. La misoginia vive nel tumulto della coscienza.

Con lucidità tagliente, io percepivo il mio divenire animale nel sesso. E non mi davo pace del fatto che le donne potessero prestarsi a quel gioco sanguigno, accettando il suo "a ogni costo". Qualunque fosse la posizione iniziale nell'affrontarsi, durante la copula c'era sempre e soltanto quel medesimo fiato grosso, l'eterno affanno del vivente. Quel respiro sordo non sceglieva, non distingueva tra davanti e dietro, tra sopra e sotto, tra un individuo e l'altro. Mescolava nello spasmo il piacere al dolore. Si limitava, come una pianta di agrifoglio, a inalare anidride carbonica e a emettere ossigeno. Con fatica, viveva. E io rimanevo in suo ascolto per l'intera durata dell'amplesso.

Avevo, insomma, un sesto senso per la componente sadica del sesso. Pur in assenza di qualsiasi lattice o frusta – anzi, proprio in loro assenza – l'aggressione mi appariva innegabile e non mi capacitavo di come la donna, lei portatrice del sangue, lei vinta, ferita, sottomessa, potesse arrendersi a me, morire tra le mie braccia, potesse talvolta addirittura goderne, spingendo la propria assimilazione al maschio fino a quel punto. D'accordo, la natura era feroce, ma non si era mai vista una leonessa raggiungere l'orgasmo.

No, non aveva alcun senso. Le donne avrebbero dovuto negare la propria complicità a una tale carneficina. E Giulia si negò a lungo. Fu questo, verosimilmente, a decidere del nostro futuro.

La varietà dei formaggi

Giulia e io ci conoscemmo nel settembre del 2004 a "Cheese. Le forme del latte", la più grande kermesse al mondo dedicata ai formaggi. Si svolge ogni due anni a Bra, in provincia di Cuneo, su iniziativa di Slow Food e con il patrocinio del Ministero delle Politiche Agricole, Alimentari e Forestali.

Un mercato esteso su tremila metri quadri di superficie espositiva, una gran sala dei formaggi con centinaia di classici, rarità e prodotti d'eccellenza offerti alla pronta fruizione, un'enoteca volante con più di settecento etichette selezionate, e poi chioschi di degustazione, cucine di strada, presìdi enogastronomici, intere piazze intitolate alla piadina o alla birra.

Fu lì, in quell'orgia di aromi e puzze, in quel trionfo olfattivo del latte crudo, che Giulia e io ci incontrammo per la prima volta (anche se in realtà si trattava della seconda, come avrei scoperto in seguito). Il nostro incontro avvenne nel corso di una delle tante presentazioni di libri che si svolgevano nel caffè letterario, tra forme di gorgonzola erborinato e affettatrici d'insaccati pregiati, nel cortile riattato di una ex casa colonica.

Io prendevo parte a un dibattito intitolato, con spiccata ironia ma con scarsa autoironia, "Quando la bufala è una cosa seria". Oltre a me, al tavolo dei relatori sedevano un produttore di mozzarelle dell'aversano e uno scrittore di Caserta "molto sofisticato"

– così almeno lo presentò il moderatore. All'epoca gli scrittori casertani "molto sofisticati" cominciavano a essere di moda.

Giulia accompagnava l'autore in qualità di redattrice dell'editore torinese che lo pubblicava. La discussione verteva sulla produzione di latticini quale forma di resistenza casearia in un territorio afflitto e avvelenato dalla criminalità organizzata. Dopo soli dieci minuti, prima ancora che mi venisse data la parola, già desideravo essere altrove.

La ragione era chiara e sarebbe piuttosto superfluo girarci attorno: molto semplicemente, il concetto di resistenza casearia mi pareva una sciocchezza e mi ripromettevo di affermarlo non appena mi avessero girato il microfono. Mi premeva dirlo, ne avvertivo tutta l'impellenza, non avrei potuto né dovuto, secondo me, farne a meno. Ero irrequieto, polemico, insoddisfatto, appassionato e litigioso. In breve, ero me stesso.

Sedevo a quel tavolo per due motivi. Il primo: essendo uno chef, maneggiavo abitualmente l'arma lattiginosa di resistenza casearia alle mafie del casertano. Il secondo: ero uno dei primissimi cuochi della nuova generazione – nella vecchia sarebbe stato impensabile – a essersi laureato. A ogni modo, qualunque fossero i motivi per i quali mi trovavo lì, mentre lo scrittore casertano esperto di mozzarella e di forme oblique di resistenza civile intratteneva il pubblico, divertendolo con una serie apparentemente infinita di battute di spirito, mi ripetevo che non ci sarei rimasto a lungo. Mi capitava sempre così. Ovunque mi trovassi, con chiunque discutessi, qualunque cibo assaggiassi, l'idiosincrasia prevaleva su tutto. L'intemperanza era l'umore di fondo con cui andavo incontro al mondo. Ero ancora giovane, insomma. Ero ancora negli anni dell'iconoclastia furibonda.

Nel mio caso, l'intemperanza cosmica si appuntava di preferenza sulle filosofie culinarie dominanti. Non sopportavo gli innovatori perché innovavano e i conservatori perché conservavano. I discepoli della cucina molecolare che disintegrava le materie prime nelle loro particelle atomiche per poi ricomporle in spumosi, indecifrabili nuovi aggregati mi erano invisi al pari dei vecchi maestri che predicavano la regola monastica della fedeltà religiosa ai sapori primari di ingredienti eccelsi. Dentro di me litigavo fieramente con entrambi, al prezzo di ripetuti sbocchi di creatività omicida: in polemica con l'universo, mi mettevo ai fornelli e mi facevo un dovere di inventare un nuovo piatto ogni sera. L'esuberanza battagliera si riequilibrava poi in periodici accessi di angoscia. D'un tratto, senza preavviso e senza motivo, sentivo che sarei morto. Allora, di solito, mi mettevo a bere.

Bevevo molto, di preferenza Negroni, e ogni volta che mi apprestavo a ubriacarmi era come se declinassi a mio modo il verbo "morire". La prima voce, che corrispondeva al primo bicchiere, era il futuro prossimo: temevo che una presa d'alcol avrebbe catalizzato il processo della mia fine sempre incipiente. Nella cucina oramai deserta del ristorante dopo l'orario di chiusura, portavo quel primo bicchiere alle labbra con la tetra solennità dettatami dalla convinzione che quei pochi decilitri di gin, bitter e vermouth sarebbero stati la goccia che avrebbe fatto traboccare il vaso e spanto le mie interiora sul pavimento piastrellato. Ma poi l'alcol sortiva il suo effetto sedativo e bevevo i bicchieri successivi declinando il verbo al futuro remoto. Con i nervi distesi, la mia morte non mi sembrava più così vicina e nemmeno certa. Infine, quando ero davvero molto avanti con i Negroni, si verificava il miracolo di trasmutazione per cui il verbo raggiungeva la voce del futuro anteriore: la mia morte terrena mi appariva come cosa passata. Ero già morto. Non sussisteva più alcun problema. Allora mi sentivo invulnerabile. E lo ero, per il semplice fatto di sentirmi tale. In quei momenti sarei potuto riuscire in qualsiasi impresa, i proiettili non mi avrebbero colpito.

Ripensandoci ora, mi sembra al tempo stesso banale e impossibile che io sia sopravvissuto. Alla disintegrazione psichica, intendo. Soprattutto, mi pare quasi inverosimile che il ragazzo di allora sia vissuto sufficientemente a lungo da divenire l'uomo di adesso. E c'è un motivo preciso che mi rende impensabile di essere la stessa persona di quella sera del settembre 2004 a Bra: quel ragazzo, conciato com'era, non sarebbe mai potuto diventare un padre.

Se guardo a lui con gli occhi dell'uomo di adesso, la nostra reciproca estraneità mi appare totale. Se ci incontrassimo oggi, probabilmente non prenderemmo insieme nemmeno un caffè. Sì, perché quel giovane maschio irruento, sconsolato e formidabile che fui io, nel periodo di rabbia e ardore in cui la notte mi ubriacavo da solo in una cucina rassettata e linda di un ristorante del centro di Milano, vaneggiando su come andare alla conquista del mondo soltanto per potervi appiccare il mio incendio, quel ragazzo che si autocommiserava tenacemente era quanto di più distante si possa immaginare dalla virtù di un padre: la ferma e soccorrevole compassione per qualcuno che non sia noi stessi.

Sì, ora so che tutta quella madornale, giovanile tempesta emotiva non sarebbe mai bastata a fare di un piccolo dramma psicologico il gran teatro del mondo su cui, ogni sera, va in scena la vita. Confinato nell'isola della mia sensualità disperata, ero agli antipodi rispetto alla terra dei padri. Eppure fu in uno di quei momenti, mentre mi disponevo a rovesciare simbolicamente il tavolo di quel dibattito su mafia e mozzarella di bufala, che vidi Giulia.

"La mozzarella è cultura!"

Lo aveva appena perentoriamente affermato lo scrittore casertano mentre io, scuotendo il capo, mi apprestavo a sbottare. Poi, però, intercettai gli occhi celesti della giovane donna che lo accompagnava. Smarrito nel profondo delle loro fosse orbitali, decisi di tacere e unirmi a loro per la cena. Fu la prima delle tante volte in cui le occhiaie della mia futura sposa mi avrebbero chetato.

Terminato il dibattito, dopo aver costruito il nostro peculiare plateau di formaggi, non ci rimase che abbinare il vino più adatto. Prendemmo posto a un tavolo all'aperto. Si era in una decina. Lo scrittore tracannava vino e continuava a intrattenere la comitiva con brillanti metafore ricavate dalle fasi di lavorazione della mozzarella. Nel frastuono mi giungevano frammenti del suo discorso: spezzatura della cagliata, filatura, mozzare a mano...

Il gruppo era allegro, si rideva. Per parte mia, mi limitavo a invidiare quella freschezza beverina. La invidiavo sinceramente. Mentre mi sforzavo senza successo di far colpo sulla ragazza della casa editrice, lasciando cadere qualche commento che riportasse la discussione a una impossibile e insensata gravità, riuscii perfino a essere onesto nell'invidia, accantonando così ogni autocommiserazione. Non servì. La ragazza continuava a rivolgere gli occhi celesti al suo scrittore. Ne ammirava l'arguzia.

"Comunque sono contento di averti conosciuta," azzardai a fine serata.

"Non mi hai conosciuta. Ci siamo già conosciuti l'anno scorso proprio qui, in coda a un altro dibattito." Giulia, la futura madre di mia figlia, al primo approccio mi gelò così.

Di nuovo smarrito, forse sperando nella sua arguta stella polare, mi voltai anche io verso lo scrittore. Ripeteva che la mozzarella era cultura, facendo il verso a se stesso. Era pesantemente ubriaco. Gli invidiai anche quello. Mi sentii invadere da una malinconia che soltanto molti anni più tardi sarei stato in grado di comprendere: in quell'istante, snobbato da Giulia, avevo imboccato un vicolo cieco della vita. Come una grande scimmia sconfitta nella lotta per la riproduzione senza averla combattuta, mi sarei aggirato lungo quella pista per anni, accompagnandomi a bande erratiche di maschi esclusi dal gruppo misto composto dai dominanti e dalle femmine feconde. Avrei condotto un'esistenza già scartata, scomparso nel numero sterminato e oscuro dei maschi superflui, annegato in un oceano di sperma inetto.

Sì, perché in quell'istante non soltanto io ma anche io e Giulia, il fragilissimo embrione di coppia che il mio desiderio di lei aveva provvisoriamente partorito, erravamo a distanze incolmabili dal luogo in cui si diviene genitori. Non per età – avevamo entrambi superato quella in cui i nostri ci avevano messo al mondo – e nemmeno a causa di quella piccola, malaugurata gaffe. Gravava su di noi, piuttosto, un'infecondità ambientale: il fatto è che non si diviene padri e madri finché si trascorrono le proprie serate a scegliere tra centinaia di varietà di formaggi.

Le domeniche da solo

Giulia e io ci rivedemmo. Non importa rievocare in quali circostanze. Gira e rigira, ci si rivede sempre. Ci rivedemmo e io decisi che mi sarei innamorato di lei.

Sì, nel mio caso andò così. Non voglio enunciare regole generali o roba simile, ma nel mio caso credo di poter dire che si trattò di una decisione. Qualcosa di urgente, sboccato senz'altro da un bisogno radicato, ma sorretto anche da una precisa volontà. Presi la pulsazione improvvisa di un desiderio immediato e la incoccai sulla corda tesa, curvando a fatica l'arco per poi scagliarla lontano. D'altro canto, a voler essere onesti, non mi è mai capitato di osservare tra i miei contemporanei passioni che non fossero di testa.

Alla mia decisione fece seguito una lunga fase di corteggiamento durante la quale dovetti misurarmi con forti resistenze, ritrosie, diffidenze, rifiuti cocenti. Lo feci manifestando apertamente il mio amore in una trasparente, diretta effusione sentimentale di risaputi luoghi comuni. Lo feci senza calcoli, senza finzioni, senza traslati. Senza stile, insomma.

Una sera la portai a cena al Combal.Zero, il ristorante aperto pochi anni prima al Castello di Rivoli da Davide Scabin, che all'epoca rappresentava ai miei occhi una delle punte avanzate della ricerca culinaria a livello mondiale. A fine pasto, mentre Giulia cercava di degustare in pace una lastra di limone ghiacciato che ricopriva venti diversi elementi tra erbe e frutti agglutinati attorno a un goloso tuorlo di crema, mi dichiarai. Lei se ne mostrò infastidita. Mi rivolse uno sguardo minaccioso e al tempo stesso minacciato.

Giulia aveva messo subito in chiaro di essere legata da anni a una persona amata e rispettata. Non poteva nascondere che la loro relazione si stesse trascinando in una fase di lunga e lenta agonia – si era allo stadio in cui, se il subentrante riesce nei suoi intenti e il nuovo amore dà luogo a continuità sufficienti, in seguito, voltandosi indietro, ci si sente autorizzati ad affermare che si trattava di una "storia già finita" –, ma proprio per questo non desiderava affatto che un altro individuo irrompesse nella sua vita, inquinando la faticosa elaborazione del lutto a fronte di un amore fallito con la pretesa di amarla e, soprattutto, di esserne amato.

Aveva ragione Giulia a sentirsi minacciata e a dirsene infastidita. Lo compresi allora e lo comprendo adesso. Ciò che accadde dopo il suo primo, aperto rifiuto dimostrò che l'allerta e lo sfinimento preventivo espressi dai suoi occhi severi non erano infondati. Io infatti, molto semplicemente, le posi l'assedio.

Non lo feci con deliberata aggressività e nemmeno adottai il benché minimo accorgimento tattico, ma lo feci. Ero troppo dipendente dalla tendenza a sovrastimare i miei stati emotivi perché potessi fare altrimenti. Mi comportavo come un autentico tossicomane del mio struggimento. Fu, verosimilmente, il primo grande peccato di egoismo che commisi nei confronti di Giulia. Su quella pietra si fondò la nostra casa.

In quel periodo, per me pensare a lei era una pratica ascetica. Mi raccoglievo in meditazione con tutta la mia vita passata, presente e futura, con tutti gli uomini che ero stato e con quelli che non sarei mai divenuto e pensavo a lei con un'intensità sconcertante. La cosa, per sovrapprezzo, mi appariva addirittura miracolosa: non avevo mai conosciuto quella sorta di tormento, ritenevo quel genere di passione mentale dimenticata da sempre, estinta con il primo uomo. Ero innamorato. Ovviamente. La banalità della cosa non cessava però di parermi sovrannaturale. Inaugurai così una nuova versione delle "domeniche da solo".

Fino ad allora era stata mia abitudine riservare la domenica, giorno di chiusura del ristorante, tutta per me. Quando gli esodi verso il lago o i monti svuotavano Milano della gente che vi dimorava abitualmente in condizione di cattività, io mi rintanavo in casa, stappavo una bottiglia di Amarone sottratta alla cantina del locale, apparecchiavo un solo posto a tavola e cucinavo. Cucinavo per ore, ubriacandomi mentre lo facevo, piatti arditi e improbabili. Approntavo cibi raffinati eppure succulenti e speziati, morbidi di burro, gravidi di grassi animali, stracchi di lunghissime cotture a fuoco lento, cibi quasi sempre proscritti dal perbenismo vigente nella culinaria di un'epoca esangue.

In precedenza, quelle domeniche da solo erano state per me pomeriggi di cupa euforia, quanto di più prossimo mi sembrava potesse esistere a ciò che fraintendevo per felicità. Ora invece, dopo avere incontrato Giulia, le domeniche da solo mi giungevano insopportabili. Non riuscendo a trattenermi lo facevo presente alla mia amata, lamentavo il mio desinare solitario per poi, un istante dopo, giurare che lei non sarebbe stata l'antidoto alla solitudine di quella mia vita. No, lei sarebbe stata un'altra vita.

Non appena una sua risposta algida mi smontava perdevo ogni riserbo, persino ogni vergogna, e attaccavo a piagnucolare. Spasimavo, la ossessionavo, poi mi pentivo, aggiungendo ossessione a ossessione. Concepivo piani audacissimi. L'avrei presa e portata via. Sarei calato su di lei con l'irruenza di una guerra, con la schiettezza di una sassata, l'avrei afferrata e le avrei detto: sarò per te ciò che la primavera è per i ciliegi. Ma nemmeno Neruda funzionava; il suo lirismo, anzi, m'inibiva del tutto il passaggio all'azione.

In quello stato d'infermità, se mi facevo ardito al massimo arrivavo a supplicare un bacio. Respinto, tacciato d'infantilismo, m'involgarivo nella stridula smania del turpiloquio, convocavo l'immane tragedia del mondo a far da ruffiana al mio piccolo dramma sentimentale.

Ricordo distintamente, in occasione di un nostro incontro seguito alla presentazione di un album fotografico sugli stermini nazisti, di averle chiesto perché in questo mondo infame non accettasse nemmeno di darmi un bacio. Protestai indignato, non potendo credere che in fondo a un secolo di orrori lei non volesse nemmeno baciarmi. Mi mandò al diavolo. Ci andai senza rimorso: non ero mai stato tanto sincero quanto in quei momenti di bassezza.

Poi cambiai retorica. Cominciai a iniettarle il subdolo veleno del rimpianto: stavamo rinunciando a quel po' di tenerezza cui tutti, anche i più truci, hanno diritto. Certo, lei era la donna di un altro ma io, terzo vertice del triangolo amoroso, all'ostacolo che frenava l'amore sapientemente contrapponevo un diverso senso di colpa, quello che si prova per non aver amato. Pervertendo la parola di Cristo, la ammonivo: stavamo commettendo peccato mortale perché alla fine saremmo stati giudicati sull'amore, solo sull'amore. Ero ridicolo, eppure seguì lo scoramento. Seppi di avere una speranza quando lo lessi nei suoi occhi.

Il giorno in cui finalmente Giulia cedette, sortì l'effetto di un'opera di bonifica. Uno spurgo. Fu come se fosse venuta a letto con me perché io la piantassi con tutto quel ciarpame sentimentale. Dubito che l'abbia fatto con questa consapevole intenzione, ma gliene sarò comunque sempre grato.

Si era a una festa in campagna a casa di amici, amici suoi. La vidi fumare quando lei abitualmente non fumava, la vidi bere quando a bere di norma ero io. Per una volta non mi respingeva vistosamente, mi sbeffeggiava invece piuttosto bonaria.

Io insistevo ancora nel mio clima mentale apocalittico quando già attraversavamo la soglia di una camera da letto. L'avrei spezzata, mi dicevo terrorizzato. Non molto alto ma robusto, muscoloso

e pingue, pesavo più di cento chili. Io ero massiccio, irsuto e mo-
ro. Lei era sottile, longilinea e celeste. Io ero un maschio, lei una
femmina. L'avrei spezzata.

Ma Giulia non si spezzò. Si fece conca. Tutta quanta. Mi fu sopra con una leggerezza antigravitazionale, mi offrì il suo bacino
perché la mia piena detritica vi defluisse, avvinghiò le sue braccia e
le sue gambe vegetali attorno alla mia mole, come una giungla tropicale che si riprenda le rovine di un'antica capitale d'Indocina.
Quando giunsi alla fine con un unico movimento armonioso, senza la minima soluzione di continuità, si sollevò ancora e ancora
fece conca con le mani, con la bocca, dimostrando una volta e per
tutte che non erano destinate solo a colpire e a mordere.

Ero sbalordito. Scoprivo che il pianeta era abitabile. Esisteva la
gioia, la gaiezza. Avevo vissuto nell'ignoranza.

Poi Giulia mise la sua mano nella mia e mi condusse in bagno
lungo un corridoio. Entrammo assieme sotto la doccia. Quel gesto mi commosse allora e mi commuove ancora adesso. Non vi era
niente di materno in esso. Erano i corpi di un uomo e di una donna adulti quelli che, lungo il corridoio, marciavano affiancati come i corpi di un'unica creatura.

I salmoni

A quel primo amplesso, nonostante la gioia amorosa che ci concesse, seguì come di precetto la fase di tormento ed estasi. Avrei presto imparato che l'amore non basta a se stesso.

Giulia mi aveva rianimato il cuore quando oramai lo credevo un muscolo atrofizzato, eppure adesso era lei che tentennava. Aveva ridestato la voglia di un vento largo che si confondeva in me con la voglia di lei, eppure faceva un passo avanti e due indietro. Dal canto mio, ricaduto nel melodramma, la informavo che stava camminando sul mio cadavere.

Cominciai allora a diventare quel genere d'uomo che fino ad allora avevo scioccamente irriso. Mi ero sempre fatto beffe di quei maschi che, valicata la dorsale dei trenta o dei quaranta, dopo una giovinezza sessualmente sfrenata o magari anche dopo una prima fase della vita languida e inetta, una bella mattina si svegliano e decidono di migliorare se stessi. Si tuffano allora in una faticosissima impresa di costruzione di "qualcosa per l'avvenire" – qualcosa di non meglio specificato ma quasi sempre legato all'incontro con una donna – che un giorno li condurrà laboriosamente a una casa dove dimorare con i propri figli. Li senti allora nominare un "percorso", dibattere di un "progetto". Li vedi con la fronte costantemente imperlata di sudore e di un forzato buonumore.

Io quei single convertiti li avevo sempre definiti "i salmoni" e mi ero sempre giurato che non li avrei mai seguiti. Non avrei risalito il fiume soltanto per morire a quel modo. Non avevo uova da deporre, io. E nemmeno loro.

Eppure adesso, per almeno tre sere la settimana, dopo la chiusura del ristorante mi ritrovavo a dividere l'ultimo, lurido, lentissimo treno per Torino con squadre di puttane nigeriane. I loro deretani sporgenti, i loro seni enormi, i loro occhi bovini, messi a confronto con il corpo e gli occhi di Giulia, mi apparivano come la negazione radicale dell'eros. Scrutavo quelle donne per non addormentarmi, ma non riuscivo a capacitarmi di come uomini della mia razza potessero pagare per accoppiarsi con loro. Indurmi a farlo sarebbe stato come pretendere da un occidentale che si cibasse d'insetti.

Questi erano i miei pensieri malsani in quelle notti sul treno regionale. Arrivato a casa di Giulia, forse per contrappasso, quasi sempre rimanevo confinato a dormire sul divano. Tuttavia non demordevo. Ritornavo ostinatamente alla banchina della stazione di Porta Garibaldi da cui partiva quell'ultimo treno. Inutile aggiungere che mi stavo chiaramente mutando in un salmone anch'io.

Mentre scrivo queste parole mi rendo conto che avrei voluto adottare un tono molto diverso, più drammatico, per raccontare la genesi del mio amore per Giulia. Devo invece arrendermi al comico. Evidentemente, di questi tempi, nessuna storia d'amore si sottrae al ridicolo.

A ogni modo, devo anche confessare una certa fierezza riguardo a quel periodo. Diedi a me stesso e alla donna che amavo una prova di valore. Fui forte. Riuscivo a rassicurare Giulia anche dal mio confino sul divano. Andava tutto bene, le garantivo, e sarebbe andato sempre meglio. "Va tutto bene, Giulia, e andrà sempre meglio," le ripetevo. Lei si era addolcita e non doveva preoccuparsene, perché la dolcezza le avrebbe mostrato la via. Questo le dicevo senza la minima flessione nella voce.

Le giuravo allora di avere intuito una cosa ovvia ma sorprendente. Vale a dire che, fuori da quel piccolo appartamento a cui la clandestinità ci obbligava, lì nel gran mondo, saremmo stati non meno ma molto più affiatati. Sì, noi due eravamo delfini, tonni, marlin, pesci di mare aperto. Ricordo che una volta arrivai perfino a prometterle che avrei creato un nuovo ristorante, di pesce ovviamente, che mi sarei arricchito con esso e che per il giorno del nostro fidanzamento ufficiale le avrei cucinato una cernia da venti chili e le avrei regalato un diamante da diciotto carati. L'amavo, tutto il resto era niente. Perché, dunque, arretrare di fronte al ridicolo?

Ma la forza più grande di cui mi dimostrai capace in quel periodo fu quella che dovetti trovare per farne dono a lei, lei che dubitava di se stessa e del proprio amore per me a causa dell'inganno e del sotterfugio che ne erano il vizio d'origine. La forza più grande, perché anche la più cieca verso ciò che l'avrebbe annientata e sconfitta.

Giulia continuava a ripetere che io non avrei potuto fidarmi di lei, se per amarmi lei aveva dovuto essere infida e infedele. E io lottai come un leone contro questa sentenza capitale. Convocai tutti i miei eroi culturali perché mi sostenessero in quella lotta impari. Citavo Hegel ("È dal travaglio del negativo che nascono le cose"); citavo Hemingway ("Qualunque cosa ti facciano, quando qualcuno ti amerà tutto sarà cancellato"); citavo Nietzsche ("Tutto ciò che accade per amore, accade al di là del bene e del male"). Infine, poiché a Giulia le citazioni colte suonavano fasulle, il sottoscritto mandava in campo se stesso, muto, pronto alla lotta e allo stesso tempo disarmato di fronte ai fatti. "Non temere nulla," le dicevo allora, "fidati di me e io mi fiderò di te."

Gli accadimenti successivi mi avrebbero dato torto. In verità mi avevano già dato torto gli accadimenti precedenti, ma proprio per questo motivo sarebbe ingeneroso, e forse anche scorretto, raccontare la nostra storia, la storia di tutti, come la storia di una sconfitta.

La stanza umile

Nella scena successiva Giulia e io siamo in bagno, una di fronte all'altro, compresi nella strettoia tra il water e il bidet.

È mattina. La luce d'agosto spiove su di noi da sinistra a destra, da oriente a occidente, filtrata dai vetri opacizzati per proteggere l'intimità di quel luogo di recesso. Lei alza gli occhi su di me e lo dice. Lo dice a me, proprio a me, a nessun altro. Sorride. Segue un attimo di silenzio.

Non importa quanto duri quel silenzio, se sia lungo o breve, ma c'è. È un silenzio necessario. Perché lì si vive un momento di brivido cosmico. Che si creda o meno in una qualsiasi divinità, in quel momento si trema, in quel momento si raccolgono le forze. Che ne siate consapevoli o meno, in quel momento vi interrogherete su quale sia il vostro posto nel mondo. Che confidiate o meno in Dio, quel momento vi obbliga a credere nell'uomo. E nella sua discendenza sulla terra.

È una strana scena di annunciazione quella che stiamo vivendo. Di norma l'angelo è in ginocchio, la madre seduta o in piedi. A volte, anche se raramente, la composizione si ribalta. Allora è la madre che s'inchina a terra. La dissimmetria però permane. Nel nostro caso, invece, siamo entrambi in piedi. Alla pari, orizzontali, sullo stesso asse di rotazione terrestre.

La madre e l'angelo sono la medesima persona. Il padre sta dall'altra parte e ascolta. Si limita ad ascoltare, non può fare diversamente. Un pittore scrupoloso lo dipingerebbe fuori dal quadro. Ma ora non c'è più tempo, il momento è trascorso, il padre deve scegliere se venire al mondo. L'incarnazione però è già iniziata e la decisione è presa. La sposa aspetta un figlio. Così sia.

Abbraccio Giulia. La verità, al di là di tutto, è che sono felice. Non mi sono più sentito così da quando avevo sedici anni: un sabato sera mi stavo andando a ubriacare con la mia banda di amici e a un tratto ho sentito che in quell'istante diventavo adulto. La lunga, sanguinosa infanzia terminava e cominciava il mondo.

Ricordo che mentre abbracciavo Giulia – no, non la baciavo, perché già in quel momento prendeva avvio la lunghissima marcia di allontanamento nei deserti della madre – mi chiesi come mai le scene fondamentali della vita familiare avvenissero sempre nei luoghi meno nobili della casa – la cucina, il bagno – e mai nei salotti che, con tanta cura per il decoro tardo-borghese, approntiamo in interminabili domeniche mattina trascorse tra gli scaffali affollati di mobilifici suburbani. Come se in quei frangenti fatidici, giunti alla curva del fiume, dirigendoci verso il cucinotto o verso la latrina, pronti a rivelarci l'un l'altro che stiamo per diventare genitori o per crepare, si avvertisse accanto a noi, sopra di noi, la presenza di un genio domestico, la cui sapienza ancestrale ci suggerisce che gli scenari adatti ai momenti in cui la nostra esistenza si decide e si annunciano altre vite o altre morti sono quelle stanze spesso anguste, poco illuminate e ricavate in budelli stretti, preposte alla nutrizione dei corpi o alla ancor più umile pulitura ed evacuazione di essi. È lì, tra minestrine, unghie tagliate e feci che il nostro destino si compie. E così sia.

Le ellissi di una vita insieme

Come è possibile che si passi d'un balzo dai giorni lontani del primo, spasmodico innamoramento al momento recente e definitivo in cui concepiamo nostro figlio?

Prima di proseguire bisognerà rendere conto di questa ellissi. Ci proverò con un aneddoto. Gli aneddoti, soltanto quelli, ci soccorrono di fronte all'impensabile.

Qualche tempo fa Giulia e io stavamo andando a prendere il tram. Era pieno giorno e Anita era all'asilo. Non ricordo dove fossimo diretti ma rammento che tra noi correva una chiacchiera leggera, dilatoria e perifrastica. Divagavamo, eludevamo, rimembravamo. Le coppie segnate dagli anni hanno ottime e numerose ragioni per non parlarsi, è stato detto. Vero. Ma è anche vero che hanno altrettante ragioni per scongiurare il silenzio. Si parlano, allora, come nei film d'azione si parla al ferito grave: per tenerlo desto ed evitare che si abbandoni al languore del sonno, per poi di lì scivolare nel torpore ultimo della morte.

A ogni modo quella mattina, mentre aspettavamo il 23, Giulia mi citò un episodio degli anni del nostro fidanzamento. Lo ricordavo? No, non lo ricordavo. Allora, montando sul tram, la conversazione si spostò su un viaggio che avevamo fatto in Danimarca alla scoperta delle nuove gastronomie boreali allora emergenti. Giulia rievocava con piacere la sorpresa che aveva prodotto in lei l'impiego inusitato della verbena e dei muschi del lussureggiante sottobosco scandinavo la sera in cui noi due, piccola ardita avanguardia, senza nemmeno dover prenotare andammo a cena al Noma, che soltanto alcuni anni più tardi sarebbe stato nominato miglior ristorante al mondo per tre volte consecutive.

Sì, certo, quello lo ricordavo: la verbena, i muschi, le bacche, i licheni... L'unico commento che riuscii a produrre, però, fu di chiederle a chi avessimo affidato Anita quella sera.

"A nessuno," sibilò Giulia. Anita non esisteva. Non sarebbe nata prima di due anni.

Capitava sempre così. Ogni volta che mi sforzavo di rammemorare un momento della nostra vita in comune compreso tra il periodo dell'innamoramento e l'annuncio della nascita di Anita, la memoria mi tradiva. O con un falso ricordo o con nessun ricordo. Che si trattasse di una gita fuori porta, di una vacanza o di una serata tra amici, o era stata dimenticata oppure avevo l'impressione che Anita fosse con noi. Non c'era e non c'è in me la benché minima traccia della sua assenza. Eppure, tra il periodo dell'innamoramento tra me e mia moglie e la venuta al mondo di nostra figlia sono trascorsi quasi quattro anni: gli anni decisivi della nostra esistenza, quelli che stenderanno le loro conseguenze sull'intero arco della vita che ci rimane da vivere. La verità, però, è questa: non ho memoria di noi senza nostra figlia.

Quella mattina, sceso dal tram dalle parti di Porta Venezia, decisi di confessare a Giulia la mia amnesia. Lo feci con non studiata disinvoltura, come si compie un piccolo, quotidiano gesto d'affetto nei confronti di chi è abituato a riceverlo. Mi pareva una cosa graziosa da dirsi, un frammento amoroso di un discorso che non si sarebbe mai pronunciato nella sua conclusiva interezza.

Giulia si offese terribilmente. Imprecò in modo non scurrile, poi si tumulò in un immediato, risentito mutismo. Mi accorsi subito che le mie parole l'avevano spinta sull'orlo del pianto. E lì sarebbe rimasta. Cascasse il mondo, non avrebbe mosso un passo né indietro né avanti.

Capii subito che cos'era accaduto. La mia ammissione aveva sortito l'effetto di un'obliterazione. Sovraimprimendo Anita alla nostra intera vita in comune avevo cancellato l'esistenza di mia moglie, l'avevo negata in qualità di persona, autonoma e distinta dalla figlia che mi avrebbe dato, ammesso che un'espressione del genere conservi oggi un qualche significato. O, almeno, questa era stata l'interpretazione delle mie parole da parte di Giulia.

Protestai. Si stava sbagliando, ribattei al suo silenzio. Non si trattava di oblio ma di un'illuminazione. La mia memoria m'ingannava in superficie perché lavorava in accordo con una verità più profonda. Ed era una verità radiosa, che non oscurava né Giulia né nessun altro: l'intronazione di Anita al centro della mia residua memoria non faceva torto a nessuno. La ricordavo ovunque, anche dove non c'era, e non ricordavo nessuno di noi, me compreso, in sua assenza, perché lei aveva rappresentato un compimento, quel fine di cui tanto parlarono i filosofi in cui tutto ciò che ha preceduto si ricapitola, si conserva, si giustifica e si esalta, non si estingue. Anita rappresentava una di quelle rarissime occasioni in cui la storia degli uomini raggiunge il proprio scopo. Per questo ricordavo soltanto l'origine del nostro amore e poi la sua venuta. Perché in Anita la fine si saldava al bagliore di quell'origine. In lei tutto finiva in gloria. Forse che tanto splendore non valeva il ricordo di una serata trascorsa in un ristorante danese a mangiare verbena, muschi, bacche e licheni?

Giulia non si persuase. Forse non aveva poi tutti i torti. Rispetto alla nostra storia d'amore, io ero precocemente invecchiato. Avevo circa quarantatré anni la mattina in cui, prendendo il tram, ammisi con Giulia di non saper ricordare, eppure d'un tratto mi vedevo come uno sciagurato colto da senescenza precoce che, a sera, nelle nebbie dell'arteriosclerosi, vecchio tornato bambino, ricordi soltanto le cose della propria infanzia, le cose prime e lontane.

Comunque sia, Giulia si murò nel proprio mutismo. Il che significava che anche la vita di coppia sarebbe rimasta quell'immenso equivoco che è sempre stata.

Forse, però, non è il caso di abbaiare alla luna. Forse vivere assieme a un altro essere umano significa proprio questo: rendersi responsabili delle proprie ellissi, delle scelte riguardo alle cose che si ritiene possibile passare sotto silenzio, quelle omissioni necessarie al racconto di una vita in comune.

Io di certe dimenticanze non mi pento. Non mi pento dell'onnipresenza neuronale di mia figlia. Andiamo avanti.

PARTE SECONDA

Pionieri di un nuovo mondo

"Il parto è un evento completamente naturale."

Benissimo, perfetto, non avrei saputo cosa chiedere di meglio.

"Se l'umanità è riuscita ad arrivare fino a oggi, ciò non può che significare una cosa soltanto: le donne sono perfettamente in grado di partorire."

Meraviglioso. Ovvio, indiscutibile, inequivocabile. Banale e trionfale. Ma allora, se tutto era affidato alla natura e alle donne, cosa ci stavo a fare lì io, che ero un uomo e della natura avevo orrore?

L'impulso del mio corpo ad alzarsi – abbandonando così la posizione yoga del fiore di loto che a sentir loro avrebbe dovuto essere la più comoda, la più agevole, ma che al mio apparato genitale schiacciato sotto la pressione del mio addome prolassante giungeva come una tortura medievale – fu immediatamente frustrato da uno sguardo chiaroveggente di Giulia, la quale mi sedeva accanto guardinga.

"Non siamo solo noi che partoriamo ma anche il nostro bimbo che nasce. Il nostro compito sarà semplicemente quello di rendere il suo lavoro il meno arduo possibile."

Su quest'ultima affermazione, che chiamava in causa il lavoro e la sua fatica, la voce dell'ostetrica-istruttrice attutì leggermente il suo tono ispirato.

Giulia e io ci trovavamo al terzo incontro del corso di preparazione al parto organizzato da bimbonaturale.org, il portale delle bio-eco mamme. A principiare da quel giorno, la lenta marcia di avvicinamento all'"evento meraviglioso" non sarebbe più stata un cammino solitario per la madre. Eravamo infine giunti all'appuntamento lungamente atteso che prevedeva la presenza del padre. Anzi no, mi correggo: la presenza del "papà". Perché lì, tra quelle mura, su quei tappetini di gommapiuma dove sedevamo nella posizione del loto, era lecito nominare il maschio solo con il vezzeggiativo usato per lui dai figli bambini. D'ora in avanti, attraversata la gola aspra del ventesimo secolo, lasciati alle spalle il suo paesaggio montuoso di eugenetica e genocidi, nella vallata del bimbo naturale non ci sarebbero più stati dei padri ad affiancare le madri in quell'antichissimo cammino. Ci sarebbero stati soltanto dei papà.

Ciononostante, mi dicevo che la lezione era cominciata nel migliore dei modi. Data la premessa non avevo nulla da temere, nessuna preoccupazione doveva sopraffarmi: sedevamo, sebbene scomodamente, in grembo alla natura e alla madre. Anzi, alla natura e alla mamma. Dovevamo rilassarci, dunque, e abbandonarci a mamma-natura.

Ma l'ironia, come al solito, non è di nessun aiuto, contrariamente a quel che sostengono i benpensanti. La speranza comica viene sistematicamente delusa, ce lo insegna l'esperienza quotidiana. E infatti, un attimo dopo, l'istruttrice di parti naturali cominciò a elencare una serie di ammaestramenti inquietanti. Ci disse che ogni donna doveva poter essere libera di scegliere, ma – e qui cominciavano i guai – la scelta implicava consapevolezza. La parola chiave, la parola amuleto, la parola sentenza che ci avrebbe condannati tutti a lunghissime ansie preparatorie venne enfatizzata e ripetuta: consapevolezza, consapevolezza, consapevolezza...

Le donne dovevano sapere. Dovevano essere informate, dovevano essere assistite, dovevano essere aiutate a conoscere il proprio corpo, quello passato e quello futuro, e anche quello del proprio figlio. Dovevano sapere come si sarebbe svolto il parto; dovevano scegliere dove partorire, se in casa, in una clinica privata o in un ospedale pubblico; come partorire, se in piedi, sdraiate o in un ambiente acquatico; e da chi essere assistite, se da nessuno, dal marito, da altre partorienti o da infermiere e ostetriche. Dovevano, insomma, essere consapevoli di cosa sarebbe accaduto loro. E la differenza tra l'ignoranza e la consapevolezza stava tutta nella preparazione.

Mentre l'istruttrice si ostinava a snocciolare il suo lungo elenco di diritti delle partorienti che, già lo presentivo, si sarebbero trasmutati presto, in forza di un'alchimia maligna, in un pacchetto schiacciante di altrettanti doveri, in me s'irrobustiva la sensazione di sconcerto e disagio che avevo avvertito fin dal momento in cui avevamo composto un cerchio con i nostri corpi seduti nella posizione del loto. Era una strana sensazione, spuria e mista. Da un lato avevo una forte impressione di *déjà vu*, di risaputo e quasi familiare, dall'altro avvertivo la presenza di un non so che di stonato, l'aleggiare di un'incongruenza stridente. In quella situazione c'era qualcosa di perfettamente concordante con situazioni già vissute e qualcosa di totalmente discordante rispetto a se stesso. Ma non riuscivo a rintracciare né l'una né l'altra cosa.

Intanto l'istruttrice imperversava: nella società della superficialità e del disordine, ci ammoniva, si credeva che tutto dipendesse dal caso, dalla fortuna, oppure ci si affidava ciecamente alla scienza medica. Ci si diceva "doveva andare così", ci si ripeteva che era "tutta questione di fortuna" e che al limite, se proprio non ci fossimo riusciti, in un modo o nell'altro il bimbo ce lo avrebbero tirato fuori. In questo modo ce ne lavavamo le mani, senza ammettere che la responsabilità della nostra vita e del mondo era soltanto nostra. Ma non era vero per niente, protestava l'istruttrice, il parto non era un evento a sé, era un accadimento fatidico, con un prima e un dopo, che avrebbe deciso dell'intera vita della madre e del bambino. Il parto ci avrebbe coinvolto completamente perché rappresentava la nostra rinascita simbolica, era un'esperienza di grande intensità, di trasformazione, di guarigione: durante il parto si rivivevano infatti le esperienze di perdita, dolore, separazione, le si rielaboravano, le si integravano e, se si era preparati, le si potevano aggiustare e concludere in modo positivo, creativo, competente, lasciandoci grande soddisfazione, energia, autostima, con "un'immagine di noi stessi rafforzata e la consapevolezza di essere capaci e performanti".

Qui l'istruttrice lasciò cadere una pausa sapiente, poi concluse: al contrario, ci minacciò, se la donna avesse avuto la sensazione che altri stessero partorendo al posto suo, se si fosse sentita sola, incapace, giudicata, ridicolizzata, si sarebbe avvertita come "un'inetta, sfinita, inadeguata". La sua vita si sarebbe trasformata in un inferno, e da quell'inferno sarebbe cominciata la vita del bambino.

Mi guardai attorno. Osservai l'angoscia accamparsi sui volti delle femmine partorienti e la rabbia innervarsi, inconsapevole di sé, nei corpi dei maschi, loro futuri assistenti. Eravamo una dozzina di coppie: le donne si reggevano la pancia disponendo le mani a catino sotto l'addome, come era stato loro insegnato, i maschi cincischiavano nervosamente la barba, quelli che l'avevano, i capelli, quelli che non li avevano perduti, o in mancanza di meglio il lobo delle orecchie.

Non tutte le future madri avevano un padre al loro fianco. Un padre maschio, intendo. Sedevano tra noi una coppia di donne omosessuali che avevano fatto ricorso alla banca del seme di una clinica di Barcellona, una single ultraquarantenne, riuscita anche lei a ottenere l'inseminazione artificiale dopo una lunga odissea nella medesima clinica catalana, e una ragazza maghrebina che, in un italiano smozzicato, giustificò l'assenza del marito con un non meglio specificato turno di notte.

Poco più in là, una coppia di ciellini si teneva per mano. Dal collo della femmina pendeva una catenina d'argento, lunga a sufficienza perché il crocefisso che vi era appeso se ne stesse adagiato sull'ombelico protruso del ventre rigonfio, nel punto in cui si supponeva battesse il piccolo cuore del feto.

Per parte mia, io continuavo a inseguire mentalmente le sfuggenti e contrastanti impressioni di risaputo e di strano.

L'istruttrice, nel frattempo, era giunta a illustrare i vari aspetti della preparazione al parto: preparazione fisica, preparazione psicologica, preparazione emozionale, preparazione pratica, preparazione spirituale. Su quest'ultimo punto gli adepti di Comunione e Liberazione si guardarono e sorrisero. L'istruttrice li ricambiò e continuò. Per prepararci dal punto di vista corporeo, ci disse, avevamo a disposizione molte pratiche, tra le quali l'acquaticità, il feldenkrais, lo yoga, il reiki, gli esercizi bioenergetici e il sistema Rio Abierto. Anche la preparazione psicologica non andava trascurata. E quella spirituale: lo spirito faceva parte della nostra vita tanto quanto il corpo, ogni uomo era alla ricerca del senso della vita e lo poteva trovare nel parto perché quello era il momento in cui donavamo la vita.

Smisi la ricerca del senso della vita. E all'improvviso capii: eravamo dei vecchi. Eravamo una ventina di maschi e femmine prossimi ad avere il loro primo figlio eppure, a parte i ciellini, la ragazza maghrebina e forse un altro paio tra noi, avevamo tutti l'età per poter essere nonni. Sedevano a terra a gambe incrociate da nemmeno venti minuti e già le articolazioni delle nostre ginocchia, le giunture tra la coscia e l'inguine si erano anchilosate. Noi maschi, salvo rare eccezioni, eravamo già tutti stempiati o calvi; e le nostre donne, ancora prima dell'allattamento, avevano già quasi tutte il seno pendulo.

Ora mi era chiara la nota stonata che avevo colto nella nostra eroica pattuglia fin dal momento in cui mi ero seduto: era un problema di età, molto semplicemente. Eravamo anagraficamente incongrui alla prima paternità e alla prima maternità. Da quel momento in avanti non avremmo potuto che rincorrere, costantemente in affanno, da mattina a sera, e il nostro termometro avrebbe sempre segnato due linee di febbre in ogni stagione dell'anno.

La sfida che ci attendeva era impari: non si dovrebbero indossare gli scarpini rigidi del principiante quando ci si approssima a superare la linea di confine dei quarant'anni o magari, peggio ancora, la si è già superata. Non è giusto, non è onesto, è un match truccato. Quando la futura figlia di questo futuro padre avrebbe preso marito, ammesso che egli fosse ancora vivo, non sarebbe già più stato un uomo perché, probabilmente, non avrebbe più avuto desideri per la donna. Sarebbe stato un maschio non più capace di erezione a darle il braccio per condurla all'altare.

Un attimo dopo aver formulato questo pensiero guardai la pancia di mia moglie, come per assicurarmi del fatto che la nostra bambina, custodita nell'involucro che ancora la proteggeva dall'inconveniente del mondo, non potesse essere raggiunta dalla malinconia di quel collettivo anacronismo, dall'abnormità del discorso sociale che sviluppavamo attorno al tema della generazione preparandoci così smodatamente, con un eccesso orgiastico di precauzioni e precomprensioni, alla nascita dei nostri figli e poi alla loro crescita, all'allattamento e allo svezzamento e, via di questo passo, alla loro adolescenza e alla maturità, in un incessante e fallimentare tentativo di compensare il nostro difetto d'origine, di colmare un ritardo che, invece, non avrebbe potuto che aggravarsi con il trascorrere del tempo. Eravamo troppo vecchi per quella roba, ecco tutto. E a questo non c'era rimedio.

Guardai ancora il ventre di mia moglie per accertarmi che fosse ben chiuso, ben saldo a protezione dell'interno amniotico dal nostro esterno nevrotico. Poi, certo che l'embrione di mia figlia non potesse ancora percepirli, diedi sfogo ai miei pensieri.

Mentre l'ostetrica imperversava con le sue precauzioni ansiogene, alternandole a un farneticante ottimismo sulle meraviglie del parto che aveva su di noi l'effetto di un coltello puntato alla gola, invocai la legittima difesa e mi concessi, ancora per pochi istanti, la pessimistica meschinità di poter pensare che in Occidente, da quasi mezzo secolo a quella parte, avevamo lasciato la filiazione a ciellini, musulmani, froci e quarantenni disperate, cioè a diverse forme di fanatismo, all'attivismo militante di minoranze più o meno integraliste, più o meno discriminate o autosegregate. Noi uomini e donne di quella sterminata, inconda maggioranza silenziosa eravamo troppo occupati a far carriera e andare al cinema allo spettacolo delle 22,30 per poter anche fare dei figli. E così, se arrivavamo a quella soglia, ammesso che ci arrivassimo, ci arrivavamo spolmonati, con il fiato corto. Di questo passo la generazione responsabile di figli, il *mainstream* dell'umanità negli ultimi quarantamila anni, era diventata per noi una questione di minoranze.

Proprio in quell'istante, come a volermi stanare dai miei cattivi pensieri, l'istruttrice si rivolse ai futuri padri. "Qualunque sia il loro sesso," aggiunse. Poi quasi urlò, l'invasata. Eravamo al nodo cruciale della *partocipazione*, ci ammonì, al concetto fondamentale secondo il quale non partoriva la donna da sola ma si era in due, anzi in tre, a farlo: mamma, bimbo e papà.

Prima che ci venissero illustrati i diritti e i doveri dei papà in quanto *partocipanti*, ci fu chiesto di prendere la parola uno dopo l'altro per presentarci al gruppo. Dichiarando le nostre generalità, avremmo dichiarato anche la nostra volontà di essere parte attiva nella nascita dei nostri figli.

Mentre mi ascoltavo dire chi ero – "Mi chiamo Glauco Revelli e faccio il cuoco" – fui raggiunto dalla seconda illuminazione: gli alcolisti anonimi! Ecco spiegata la sensazione di *déjà vu*.

Quante volte avevo visto al cinema o in televisione la stessa scena? Il paradigma di quella nostra riunione di promessi padri e madri era chiaramente quello dei gruppi di autoaiuto grazie ai quali chi nella vita è caduto, si è bruciato, ha strisciato, si azzarda a sperare di potersi risollevare appoggiandosi al bastone incerto della testimonianza di un manipolo di falliti come lui.

Nascita e rinascita. Espiazione e risurrezione. Tutto si tiene, il cerchio si chiude. Mi chiamo Glauco Revelli, faccio il cuoco e mi pento prima ancora di avere iniziato.

Figli che ridono, padri che parlano

Qualche tempo dopo, la *partocipazione* prosegue con il concerto per partorienti nella Sala Verdi del Conservatorio. Danno il concerto di Mozart per violino e orchestra n. 3 K 216.

Il presentatore ci spiega che l'ascolto della musica in gravidanza può aiutare la gestante a migliorare la propria salute emotiva, combattendo l'ansia e lo stress. È stato inoltre dimostrato, aggiunge, che la musicoterapia prenatale può stimolare il piccolo, favorendo la comunicazione fra mamma e bambino. La musica, prosegue, è universale e arriva ovunque, anche nel ventre materno. I nostri figli l'ascoltano così come ascoltano e imparano a riconoscere le voci del papà e della mamma, conclude estasiato.

Io, giunto a questo punto, spero proprio che si sbagli. Mi auguro anzi che quelle povere creaturine rimangano del tutto sorde, finché possono, agli echi delle nostre voci affannate e a ogni altro preannuncio del mondo. Mi appare oramai inequivocabile che l'enorme mole di sforzi da noi profusi per combattere lo stress non potrà che sortire l'effetto contrario. Non riesco a immaginare niente di più stressante di una vita spesa a combattere lo stress.

Mentre lo stridore di un'intera orchestra male orchestrata di concertisti dilettanti risuona in una platea stracolma in ogni ordine di posti, nella mia mente riecheggiano gli interrogativi con cui, un'ora avanti, si è chiusa la settima seduta di preparazione superiore alla gravidanza sul tema del parto dolce e naturale. È possibile far nascere e partorire un figlio che ride? È possibile partorire senza soffrire? È possibile nascere ridendo, o quanto-meno non piangendo? È possibile partorire godendo, o quantomeno non soffrendo?

Secondo l'istruttrice, quelle domande retoriche presupponevano una risposta positiva. Sì, è possibile, sosteneva lei. Centinaia di migliaia di anni di sofferenza non bastavano a smentire questa possibilità. La Bibbia non significava nulla ("Tu, donna, partorirai con dolore"), la scuola dei secoli non insegnava niente, tutto il dolore del mondo era stato soltanto un madornale equivoco. La madre non era condannata alla sofferenza perché loro, i profeti di bimbonaturale.org, le avrebbero insegnato a rilassare i muscoli, ad acquisire la benedetta consapevolezza di sé, e così l'avrebbero affrancata. Il bambino non era destinato al pianto, sentendosi a un tratto mancare l'ossigeno dal cordone reciso e sentendosi invadere un attimo dopo dall'ossigeno atmosferico, scoprendo nel giro di pochi secondi, al termine di un colpo di scena apocalittico, di avere i polmoni. No, loro ci avrebbero insegnato a far sì che nostro figlio venisse espulso ridendo e poi, memore di quella scaturigine felice, continuasse a ridere per il resto dei suoi giorni. Nessun pianto, nessun dolore, al massimo un leggero fastidio. E "tanta curiosità per il mondo". Noi, con il loro aiuto, saremmo stati i pionieri di una nuova forma di vita sul pianeta Terra.

A quel punto, l'ansia aveva raggiunto la posizione zenitale nel cielo sopra le nostre teste. Ci sentivamo come dovettero sentirsi gli antichi marinai mediterranei nell'atto di varcare le Colonne d'Ercole e, con esse, i confini del mondo conosciuto.

Poi l'istruttrice, congedandoci, ci aveva consegnato una copia di un libro miracoloso, una nuova Bibbia si sarebbe detto, intitolata *Per una nascita senza violenza*.

Ora, in attesa che il concerto cominci, me la rigiro tra le mani facendo frusciare le pagine sotto i polpastrelli sudati, e vengo colto dalla visione di un auditorium colmo di feti.

In questa sala da musica c'è probabilmente una buona percentuale di tutte le donne gravide di Milano, ognuna ammaliata dall'utopia che la vita, nel suo alfa e nel suo omega, possa essere gradevole come un concerto per orchestra e violino di Mozart. La mia mente immaginifica seleziona nel buio della sala le centinaia di gestanti, le centinaia di ventri rigonfi, e visualizza al loro interno, come in una radiografia di massa, feti fosforescenti che si rivoltano nel liquido amniotico al ritmo di un allegretto ma non troppo.

In quel momento la pancia di Giulia comincia a sussultare, smossa da colpi provenienti dall'interno. Lei impallidisce, prende la mia mano e mi costringe a sentire il tumulto. Io, guidato dal tatto come un rabdomante cieco, immagino scenari da film di fantascienza. Il martellamento continua imperioso. Nostra figlia, che ancora non ha un nome, è chiaramente sul piede di guerra. Non è dato sapere se si scalmana perché intende uscire per godersi senza filtri il concerto di Mozart, o perché pretende che si esca noi e la si lasci in pace a dormire il suo sonno senza musica e senza sogni.

Grazie a Dio, Giulia propende per la seconda ipotesi.

Quando siamo finalmente a letto, dopo un'altra mezz'ora di rilassamento attivo basato sul metodo Lamaze, Giulia ha ancora voglia di dedicare parole e pensieri al parto naturale, spogliandolo completamente e definitivamente della sua tanto agognata e discussa naturalezza. Mi racconta di una sua ex collega della divisione testi scolastici. Poiché quasi nessuna compagnia aerea ammette a bordo donne gravide dopo la trentasettesima settimana, per incontrare delle amiche provenienti dal Sud America pare che la sciagurata, al nono mese di gravidanza, si sia issata su un treno notturno e abbia affrontato dodici ore di viaggio in una cuccetta a due posti alla volta di Barcellona.

Io commento ufficialmente con un'imprecazione ipocrita, ma ammiro in segreto la disinvolta baldanza di quella donna coraggiosa a me ignota. Coraggiosa e presumibilmente serena. Me la immagino con il suo pancione, a passeggio insieme alle amiche sulle ramblas di Barcellona. Parlano di Buenos Aires, del vento di Montevideo, senza dedicare una sola parola al parto. Per compiacere Giulia, prendo però dal comodino il volumetto miracoloso. Non appena attacco la lettura di *Per una nascita senza violenza* con posa pensosa, il mio stomaco comincia a contrarsi con tale violenza da convincermi che siano cominciate le doglie sul versante sbagliato del nostro letto matrimoniale. Chiudo immediatamente il libro e, immediatamente, le contrazioni cessano.

Siamo esseri elementari, mi dico, organismi complessi governati tuttavia da regole semplici. A volte la psicologia non va oltre l'idraulica dei lavandini intasati. Intanto, per fortuna Giulia si è addormentata di schianto. Posso finalmente rifugiarmi in Brick-Breaker. Poso il libro, afferro il cellulare e mi appresto a bearmi della grafica minimale di questo videogioco archetipico, della sua ipnotica linearità. Si tratta di distruggere mattoncini utilizzando palla e racchetta, di far scorrere la rotellina a destra o a sinistra, di premere un tasto per lanciare la palla o sparare con il laser e poi di seguire per minuti, magari per ore, la traiettoria sempre uguale di quel puntino nero sullo sfondo grigio.

Mi dispongo con grande sollievo a non dovermi preparare più a nulla, a non dovermi liberare più di nessun pregiudizio o secolare costrizione, a ricadere in uno stato senza coscienza. Grazie a Brick-Breaker, per una quarantina di minuti mi anestetizzerò, dolcemente imbambolato, indifferente alla differenza tra dormire o restare svegli. Nella stanza buia, illuminata solo dal tenue chiarore esalato dal monitor di un telefono cellulare, il contorno del mio viso si assottiglierà fino a sparire, lasciandomi senza le mie umane fattezze, eppure andrà bene così perché allora, mentre veglierò sul sonno di mia moglie sintonizzandomi con il suo respiro che impregna la stanza, e con quello di mia figlia che nel suo ventre respira grazie a lei, nulla mi turberà più avendo finalmente scoperto, in coda a questa giornata, che non ho più bisogno della mia faccia e che nel fare a meno di se stessi si prova una sorta d'inatteso conforto.

Allora, più o meno verso l'una di notte, mi sentirò pronto. Smorzerò anche quest'ultima fiammella, farò buio pesto, e prima di abbandonarmi a mia volta al sonno mi chinerò sul ventre di Giulia e mi rivolgerò a mia figlia. Accosterò le labbra, non l'orecchio. Sì, perché in questo momento di grazia e ardimento, in calce a una lunga giornata di fughe da fermo, mi starò davvero preparando a essere padre e perciò saprò che quella minuscola, sanguinolenta ostia di vita che noi, follemente, già ci ostiniamo a chiamare figlia, ad auscultare attentamente nemmeno fosse un murmure polmonare e a consultare sistematicamente come si faceva con l'oracolo di Delfi, contrariamente a ogni fantasiosa teoria di puericultori utopisti non ha proprio niente da dire, niente da comunicare, essendo solo il fantasma pulsante delle nostre speranze, delle nostre paure. Ma io le parlerò comunque, perché in quel momento di fermezza notturna sarò già padre e avrò, perciò, delle cose da dire. In un sussurro, per non svegliare mia moglie dal sonno, accosterò le labbra al suo ventre teso e dirò queste parole a mia figlia.

Non avere paura, le dirò, andrà come deve andare. Se ci sarà da soffrire soffriremo; se ci sarà da piangere, ebbene, piangeremo. E poi, in un modo o nell'altro, ne verremo a capo. Questo te lo prometto. Ci puoi contare. Tu dormi, qualunque cosa tu sia, dormi. Non badare a niente, e soprattutto ascolta quello che ti dico: non ci ascoltare. Quando ci sarai tu noi saremo diversi, saremo migliori. Migliori di quanto non siamo mai stati.

Nella veglia d'armi

Nostra figlia cominciò a nascere il 19 marzo del 2008. O forse il giorno successivo, non saprei. E a dirla tutta non lo sapremo mai. Il racconto, giunti a questo punto, si fa di necessità lacunoso; anzi, ancor di più, si fa misterioso. Dall'attimo in cui si annunciano le doglie, si viene infatti sprofondati in un arcano. Per quanta scienza si sia accumulata, per quanta plurimillenaria esperienza si sia maturata, la prima doglia ti consegna in pegno al mistero. Soprattutto te, maschio e padre.

Perché si ha un bel dire che non c'è niente di più naturale che partorire, si ha un bel teorizzare il coinvolgimento totale del padre, ma la verità rimane un'altra, sempre la stessa, incrostata nei sedimenti fossili di un tempo profondo: la donna è intimamente iniziata al mistero della nascita dal dolore, occhio rivolto verso l'interno dell'evento misterioso, sensore ingombrante e infallibile. È lei la signora del gioco, al tempo stesso unico giocatore e campo d'azione. Il maschio invece, per quanto si sforzi, per quanta buona volontà profonda, rimane uno spettatore esterno e inetto. La nuova cultura del "nuovo padre" lo chiama a scendere in campo, ma per tutta la durata della partita gravidanza-parto-allattamento, e fino al primo anno di vita del bambino, il maschio non tocca palla.

Il dolore, ciò che annuncia l'ingresso nel regno del mistero, è anche il primo dei misteri.

Giulia iniziò a soffrire la sera del 19 marzo del 2008, intorno alle nove. Eravamo a guardare la televisione sul mio divano da scapolo, un magnifico manufatto artigianale in pelle nera e acciaio cromato, quando partì la prima contrazione. E con essa cominciò la fase enigmatica, accompagnata da una mastodontica profusione ermeneutica. Saranno vere contrazioni? Saranno false contrazioni? Saranno doloretti insignificanti o presagi dell'evento?

In quei momenti, "mantenere la calma" diventa la frase in cui si riassume tutto il significato dell'essere adulti. Allora ti concentri sull'intero spettro di attività irriflesse che abitualmente il corpo svolge senza alcun bisogno della tua attenzione e parti con le misurazioni: durata, frequenza, costanza. Il parto fai da te è, da questo punto di vista, simile a una forma benigna d'ipocondria. Richiede la stessa vigilanza ossessiva. Con una mano stringi l'orologio e con l'altra ausculti, carne contro carne, il polso di tua moglie. Con quell'armamentario spuntato cominci, insomma, a fare fronte. Ma non sai dove ti trovi, povero fantaccino smarrito, non sai che direzione prendere per poterti attestare sulla linea del fuoco. Sei frastornato da un immane caos tattico e da un probabile assurdo strategico. Sei nella situazione di quel personaggio di Stendhal che, pur trovandosi nel cuore della più grande battaglia di tutti i tempi, ignoto a se stesso, chiedeva a un anziano ufficiale degli ussari: "Signore, ma questa è davvero una battaglia?"

A ogni modo, noi misurammo. Misurammo durata, frequenza, costanza, intensità e intervalli. E mantenemmo la calma. Tutti i parametri lasciavano pensare che si trattasse di vere doglie. Soprattutto il valore supremo, quello del dolore – Giulia si contorceva e sussultava come una salamandra arsa da un incendio – ci obbligava a pensarlo. Ciononostante, noi mantenemmo la calma e adottammo ogni accorgimento, ogni lenitivo e ogni rimedio: gli esercizi di respirazione, le diverse posture, i massaggi, i bagni in acqua calda. Poi, stremati, tentammo anche di dormire.

Conservo nitido il ricordo di me stesso, disteso sulla schiena a guardare il soffitto durante uno degli intervalli di trenta minuti tra una scarica di contrazioni e la successiva. Dovevo avere l'aria di uno sfollato in attesa di un attacco aereo. Fissavo una crepa nel muro diramatasi dal gancio del lampadario e pensavo a quel generale di Tolstoj che in *Guerra e pace*, la notte prima della battaglia, sonnecchia mentre tutti gli altri si affannano a dibattere le posizioni dei reparti sulla mappa; poi, però, terminate le disquisizioni strategiche, si ridesta e passa in rassegna, una per una, tutte le sentinelle dell'accampamento. Pensavo a quel vecchio generale da romanzo, stringevo i pugni e lo sentivo fratello. Ero, mi dicevo, nella mia veglia d'armi.

E lo so che adesso mi si dirà che sto maneggiando una metaforica inadeguata, che è ora di finirla una buona volta, noi maschi, con tutte queste immagini bellicose, perché si tratta d'altro, della vita che nasce, non della guerra.

Va bene, d'accordo, avete ragione, ma sappiate che non possiamo fare altrimenti. Quest'epoca ci manda allo sbaraglio, disarmati e pronti a tutto, costringendoci ad avanzare alla cieca nell'oscurità femminile delle contrazioni uterine. E noi soldatini di stagno, con alle spalle una carriera di obiezioni di coscienza e servizio civile, in questi momenti ci aggrappiamo alle metafore belliche dei nostri padri, dei nostri nonni, degli avi estinti e ignoti della nostra stirpe, confidando in loro per orizzontarci in una notte arcana, come in un tempo lontano i nocchieri di velature quadrate si aggrapparono alle stelle.

Per colmo della beffa, in seguito scoprii che su quel mio letto di generale tolstojano mi ero sbagliato. La vigilia del parto sarebbe caduta la notte successiva. Sebbene durata, frequenza e costanza indicassero tutte l'inizio del travaglio, il travaglio vero e proprio non sarebbe infatti cominciato prima della mezzanotte del giorno seguente. Le ventiquattr'ore che ci separavano da quel momento sarebbero perciò trascorse in uno stillicidio inglorioso, un'attesa di prodromi tanto dolorosi quanto insignificanti.

Mistero iniquo, questo delle pre-doglie. Le chiamano così per distinguerle dalle doglie vere e proprie ma io, pur avendo subito allora ogni spiegazione medico-scientifica relativa a cervici e colli dell'utero, a distanza di anni sono ancora qui a chiedermi quale sia la differenza umanamente intelligibile tra l'una e l'altra cosa, tra una doglia falsa e una vera, quando si tratta pur sempre, in entrambi i casi, della medesima sorda sofferenza. Mi trovo dunque costretto a concludere che anche il dolore, il nostro infallibile dolore, è una bussola balorda.

La luce al neon del mondo

Ossitocina ed epidurale. Epidurale e ossitocina. Queste due sole parole, questi due vocaboli composti, derivati e parasintetici, riassumono per me tutto quel che accadde dal momento in cui ci accettarono a partorire fino a quello in cui nostra figlia venne effettivamente al mondo. Tutto quel che accadde in quelle diciotto ore di convulsa bellezza.

Epidurale. Ossitocina. Solo queste due parole mi sono rimaste in bocca della notte e del giorno più intensi di tutta la mia vita. La prima nomina una modalità di anestesia loco-regionale, la seconda un ormone peptidico di nove aminoacidi prodotto dai nuclei ipotalamici. Una tecnica anestetica per sopire artificialmente il dolore del parto e una sostanza per indurlo artificialmente. Della mia lunga preparazione al parto dolce, al parto naturale, solo questo lascito linguistico sarebbe rimasto nel vocabolario con cui si assegna un nome alle cose del mondo. Come uno scolaro riottoso che abbia studiato la magnificenza dei classici latini e greci in un liceo di provincia, per poi finire a faticare tutta la vita nella miseria di un casello autostradale o dietro la cassa di un ipermercato, a me, di tutti quei termini radiosi – "rinascita", "parto orgasmico", "perfetta sincronia" – appresi nei mesi in cui attendevo alle lezioni della scuola olistica per un parto naturale, non sarebbe rimasta nessuna memoria, nemmeno una vaga reminiscenza.

Ma andiamo con ordine. Giulia e io, dopo tanta dedizione alle filosofie new age del parto naturale, avevamo scelto la clinica Mangiagalli di Milano. Un vecchio ospedale del centro storico, un edificio imponente, luogo di collaudata tradizione, situato tra i giardini della Guastalla e via della Commenda, a pochi minuti a piedi dalla Biblioteca Sormani e dall'Università Statale di via Festa del Perdono dove da ragazzo avevo studiato filosofia.

Lì, in uno dei reparti di neonatologia meglio attrezzati di tutta Europa, si ha probabilmente il più alto tasso di natalità dell'intero Nord Italia. Come mi aveva detto in confidenza un'ostetrica incontrata qualche settimana prima a un *happy hour*, atteggiando le labbra all'espressione di quella sapienza cinica così tipica dell'ora degli aperitivi, "alla Mangiagalli sono il massimo dell'efficienza, sono più bravi loro a farti partorire dei meccanici di Formula Uno a sostituire il treno di gomme alla Ferrari durante un gran premio." Poi, rosicchiando l'olivetta del Martini, l'ostetrica aveva aggiunto: "È il posto dove ti vorresti trovare se qualcosa va male."

E anche noi, alla fine, optammo per quel tipo di rassicurazione. Avevamo vagheggiato a lungo la fattoria dei bimbi ma poi, quando si trattò di scegliere davvero, ci consegnammo alla fabbrica dei bambini. Trascorremmo lì dentro un'intera notte e quasi un'intera giornata, alle quali vanno sommate le ventiquattr'ore di predoglie sopportate in coscienziosa attesa tra le mura di casa.

Il fatto è che Giulia non si dilatava – ancora oggi mi fa specie, e un poco quasi mi vergogno a parlare di lei in questi termini. Dilatazione e contrazione. Contrazione e dilatazione. Ecco altre due parole che mi sono rimaste addosso da quelle interminabili giornate.

I minuti trascorrevano, le ore trascorrevano, i giorni trascorrevano, il sole e la luna si avvicendavano, la sofferenza non cessava, anzi aumentava, crescendo di volume e d'intensità, eppure ciò che doveva dilatarsi non si dilatava.

Non ricordo la sequenza esatta degli accadimenti, in quale ordine si fossero disposti i dubbi sul da farsi, i timori riguardo a ciò che sarebbe potuto accadere, le omissioni, i consulti e le decisioni. Ricordo solo il mio sgomento di fronte a Giulia che urlava, lei che era sempre stata così posata, così seria e compassata. Ricordo il mio sgomento di fronte a lei che mi voleva accanto a sé come presenza preziosa, irrinunciabile, soltanto per aggrapparsi al mio braccio impotente e maledire il mio nome.

Giulia m'insultava, sì, m'insultava, e a ripensarci oggi mi fa quasi sorridere, ma in quei momenti le sue imprecazioni mi mortificavano nella mia essenza di maschio. Mi sentivo schiacciato verso uno statuto indiscutibile di malvagità, come se venisse proclamato che nel desiderio sessuale da cui era stato secreto il seme, ora piantato e fruttificato nel suo ventre abnorme in travaglio, fosse insita un'originaria, inemendabile violenza. Quell'accusa del sangue disseppelliva la mia antica radice misogina, che avevo creduto estirpata proprio grazie a Giulia. A un tratto, dopo anni di esilio, ritornava la vecchia visione malata secondo cui nel desiderio dell'uomo per la donna è implicita una brutale aggressione che congiunge i corpi nel loro sfacelo.

Contrazione e dilatazione. Epidurale e ossitocina. Ossitocina e carneficina. Questo il vocabolario minimo che nominò il mio, il nostro mondo, in quelle interminabili ore e istanti che precedettero il parto. In quegli attimi, tutto nella mia persona e nel mio corpo mi chiamava alla fuga. Eppure non mi mossi di un passo. Mi sarei sentito come un pirata della strada che abbandoni la propria vittima dopo averla investita.

E allora, essendo rimasto lì, ricordo anche questa sensazione di precipitare. Tutto, in quella stanza, stava precipitando al ritmo vorticoso del battito cardiaco di nostra figlia. Il rilevatore a ultrasuoni che permetteva di sentire in diretta il cuore della nascitura e lo amplificava crudelmente in tutto l'ambiente: questa fu per me, tra tutte, la prova più dura. Dover ascoltare di continuo quel piccolo cuore tachicardico, ora oscenamente divenuto rumore di fondo nel trambusto del mondo, che batteva all'impazzata nello sforzo supremo per poi precipitare verso la bradicardia e infine verso il silenzio, prima di riprendere a correre in un agghiacciante istante pieno di nulla. "La stiamo perdendo, la stiamo perdendo," urlava dentro di me in quegli attimi una vocina maligna. E la mia ipocondria, dopo aver trascorso buona parte degli anni Novanta a palpitare davanti al televisore dove si consumava la saga eroica dei medici impegnati ad afferrare per i capelli una vita straniera e fittizia al pronto soccorso del Chicago Hospital, ora si risvegliava nella corsia della clinica Mangiagalli dove era in ballo la vita reale di mia figlia. E quella di mia moglie. Mi vergogno a dirlo ora, ma se in quel momento fossi stato costretto a scegliere non avrei avuto dubbi. Per un maschio, finché il bambino non esce non esiste. Il padre nasce con lui. Se nasce.

Infine, ricordo il primario del reparto d'eccellenza di quel prestigioso ospedale. La sua ostinata, metodica ignoranza della nostra persona. "La gravidanza non è una malattia. Non sta accadendo niente." Ecco ciò che mi rispose quando lo chiamarono per un consulto e io gli chiesi rispettosamente cosa stesse accadendo. "La gravidanza non è una malattia. Non sta accadendo nulla." Qualunque domanda io gli avessi rivolto mi avrebbe sempre opposto questa frase, questo muro di gomma, senza mai guardarmi in faccia e senza mutare il tono della voce. Le congetture si accavallavano (si starà strozzando con il cordone ombelicale? Si sarà girata in posizione podalica? Si sarà ferita incontrando l'utero contratto?), lo sfinimento e la sofferenza di Giulia si alimentavano a vicenda, ma il primario della fabbrica dei bambini non mi avrebbe mai degnato di nessun'altra parola. "La gravidanza non è una malattia. Non sta accadendo nulla." Mi avrebbe risposto a quel modo anche se gli avessi chiesto un'indicazione per andare in bagno.

Intanto, mentre lì dentro nostra figlia continuava a perdere il battito, qui fuori il cardiotocografo pubblicizzava oscenamente la sua sofferenza. Giulia era un cencio. Io mi puntellavo al muro per non crollare. Si lottava lì dentro e qui fuori. Eravamo già tutti e tre uniti nella lotta. Così avvinghiati, entrammo in sala parto.

E a questo punto il racconto si ferma. Lo so che oggigiorno molti padri portano il videofonino perfino in sala parto e filmano il venire alla luce dei propri figli. Li ho visti su internet quei video porno-horror. Ma io non ci sto a questa mummificazione dell'esperienza. Il significato di quei reperti filmati a me appare chiarissimo. Non si può confondere fino a questo punto un referto di morte con una certificazione di esistenza in vita. Le reliquie, per quanto venerate, sono ossicini strappati ai corpi dei defunti. Anche le reliquie digitali. Lo ribadisco, per quel che mi concerne: su questa soglia il racconto si ferma.

E il racconto riprende, in tutti i sensi, a nascita avvenuta.

Lei ora è qui, davanti a me, sotto i miei occhi, nella sua culla. La sua presenza in carne e ossa testimonia ancora una volta, nel sonno e nel pianto, che la nascita è la parte più irrevocabile dell'esistenza, la cosa più definitiva che ci sia al mondo. Un giorno sparirà anche lei, come spariremo tutti, ma ora è nata e indietro non si torna.

Per pochi minuti ci ritroviamo io e lei da soli. Il momento ci è offerto da una sorprendente e colpevole violazione del protocollo, infranto chissà come e perché da questi efficientissimi fabbricatori seriali di bambini. Forse Giulia si è addormentata, forse qualcuno si è distratto. Non lo so. Fatto sta che hanno trasgredito la consuetudine che prescrive di restituire subito la creatura al corpo materno da cui proviene. Dopo averla lavata l'hanno invece portata a me, il padre, che ancora per lei non sono niente. Io l'ho accolta – cos'altro potevo fare? – e poi l'ho deposta nella culla.

Mi rincresce sul serio dover raccontare a questo modo la prima scena in cui compare nostra figlia. Una scena madre senza madre.

È ingiusto, lo so, ingeneroso verso la donna che l'ha partorita e che nel travaglio di questo lunghissimo parto ho immensamente ammirato. Ma è andata così, non posso farci niente e su questo non mi riuscirebbe di mentire. E allora tocca a me, con gli unici pensieri di cui sono capace, dare a nostra figlia il benvenuto a questo mondo. Anche riguardo a questo, però, pur con tutto il bene che già le voglio, non saprei mentire.

Vorrei poter proclamare che, fin dal suo primo apparire, la sua vita è stata una cosa meravigliosa. E lo è stata, senza dubbio lo è stata, ma non posso nasconderti, figlia mia, che anche tu, come noi tutti, sei nata nella sofferenza. Avremmo tanto voluto per te un parto senza violenza, una nascita senza dolore, nel sorriso e nella gioia. Ci abbiamo provato, goffi e patetici, ma in questo abbiamo fallito. La verità è altra da quella che avremmo voluto: sei venuta al mondo piangendo. Hai riempito questa modesta porzione di spazio ricoperta dalle macerie di una piccola catastrofe, lorda dei suoi escrementi. Per poter vivere sei stata espulsa con violenza dal grembo materno che ti aveva fatto vivere, lo hai riempito e lo hai prepotentemente costretto a traboccare. Lo hai terremotato. In questo sì, sei stata meravigliosa: hai dimostrato la strenua, tenace fiducia in se stessa della vita in prossimità della sua apocalisse. La fiducia di cui ha dato prova coraggiosamente tua madre e, se mi è concesso, perfino tuo padre. In quel momento, e grazie a voi, migliore di quanto non sia mai stato.

Nonostante tutti i nostri sforzi, le nostre vane speranze, la tua primissima esperienza umana è stata, però, quella della mancanza. Il tuo primissimo respiro un istante di asfissia. La tua prima parola il pianto. Sei venuta al mondo lottando. Sappilo e non dimenticarlo. Perché io, tuo padre, credo fermamente che sia questa tenacia, questa forza magnanima, a fare di te e di tutti noi delle creature stupefacenti.

Io sarò forse un padre sbagliato, diverso da quello che avresti voluto e magari anche meritato, un padre infedele fin dal primo momento, ma ti guardo e vedendo il tuo cranio ammaccato, il tuo piccolo corpo stremato dagli spasmi che turbano il tuo primo sonno, i tuoi occhi chiusi, abbagliati dalla luce al neon di questa corsia d'ospedale che è poi la luce del mondo, non riesco a non vedere una piccola sopravvissuta alla catastrofe del suo grembo, e non riesco a non udire nei tuoi vagiti stentati gli echi primordiali dell'esodo avventuroso della nostra specie espulsa milioni di anni or sono dal grembo del mare e, dunque, proprio in virtù e considerazione di questo grande sconquasso, ti auguro con tutto il mio cuore di padre di poter essere una donna forte e lieta, ma so per esperienza di uomo che porterai sempre nelle pieghe del volto un po' di quella malinconia che ovunque ci accompagna nella nostra vita extramarina.

Ed è per questo motivo che io ti amerò sempre e sempre sarò al tuo fianco. Io sono tuo padre e soccorrerò il tuo pianto. Salve, bambina. Salute a te, creatura venuta a questa sponda di sabbia e sassi dagli oceani prosciugati. Che tu sia la benvenuta a questo mondo.

La spoliazione del nome

"Ma cosa hai fatto?"

Mio padre, seduto di fronte a me, mi sta rivolgendo lo sguardo affranto del genitore al quale il figlio abbia appena confessato un delitto. Nei suoi occhi non c'è la condanna. Peggio, c'è il rimpianto. Mi sta dicendo che qualcosa di prezioso è andato perduto. Sul tavolo, a separarci irreversibilmente, fuma un piatto di risotto.

Per incontrarlo ho dovuto attendere il giorno successivo alla nascita di Anita e recarmi in via Cerva, non distante dalla Mangiagalli, alla Bottiglieria da Pino, una delle pochissime autentiche trattorie sopravvissute alla vetrinizzazione del centro storico di Milano. Un posto onesto, con cucina casereccia, dove paghi il giusto (la bottiglieria, intendo, non il centro di Milano).

Ci siamo incontrati qui perché lui non mette più piede in ospedale dalla morte della mamma e sostiene che non ce lo rimetterà neanche quando toccherà a lui di morire. Qualche tempo fa, voleva addirittura obbligarci a firmare una scrittura privata in cui noi figli ci impegnassimo ad astenerci dal suo ricovero qualunque fosse stata la malattia o l'emergenza che lo avrebbe colpito. Ha desistito soltanto quando gli hanno spiegato che la scrittura non avrebbe avuto alcun valore legale: sarebbe rimasto solo l'impegno morale, e per quello dal suo punto di vista non c'erano carte da firmare. Niente ospedale, quindi. La bambina, così mi aveva annunciato al telefono, l'avrebbe vista quando l'avessimo portata a casa. Ed è andata esattamente così.

Se in questo momento, a ventiquattr'ore dalla nascita di Anita, davanti a un piatto di risotto, faccio fatica a sostenere la costernazione di mio padre, non è perché il suo sguardo opaco da vecchio mi incuta ancora un qualche timore, e nemmeno perché voglia particolarmente bene a quest'uomo arcigno, ma perché gli devo molto. A lui devo la passione per i libri, incontrati per la prima volta nelle edizioni tascabili della sua biblioteca da autodidatta, lui che tanto insistette perché completassi gli studi fino alla laurea nonostante già avessi un mestiere. Ma soprattutto a lui devo il mestiere, passato nelle mie mani dalle sue. È questo senso di gratitudine, sono gli obblighi della discepolanza che adesso m'inducono a reprimere il dispetto di fronte alla sua reazione, che mi persuadono ad accettare l'idea che, se offesa c'è stata, sono stato io ad arrecarla e non a subirla.

Mio padre ha reagito a quel modo solo perché gli ho raccontato la mia partecipazione al parto. Se ne è uscito con quell'esclamazione quando gli ho descritto il momento in cui ho reciso il cordone ombelicale di mia figlia. Questo il mio delitto.

Cerco comunque di attenuare il suo sgomento, allungandogli il cartello che le infermiere hanno appeso alla culla di Anita nelle prime ore dopo il parto, quando ancora Giulia e io, dopo mesi di dibattiti accademici, non ci eravamo decisi a darle un nome. Sul cartello sta scritto "Bimba Revelli". Lo passo a mio padre. Lui ci legge il proprio nome e io, nei suoi occhi finalmente paghi, mi consolo della spoliazione del mio.

Uno degli aspetti che più mi hanno turbato della nuova dottrina riguardante i diritti e i doveri della famiglia evoluta è, infatti, la spoliazione del nome. Un istante dopo che la tua prole è venuta al mondo, perdi il diritto al tuo nome e cognome. Tutti quelli che gravitano attorno al nucleo della nascita – le ostetriche, le infermiere, i pediatri e perfino gli altri genitori – si rivolgono a te apostrofandoti come "papà". È tutto un profluvio di "papà" di qua e "papà" di là. ("Papà, si lavi bene le mani e venga alla nursery che le insegno a cambiare sua figlia", "Papà, l'orario delle visite è finito" e così via.) Ben presto anche tua moglie, la "mamma" che subisce la medesima sorte, ti si rivolge a quel modo ("Papà, ora che torni a casa ti ricordi di annaffiare le piante?"). Fatalmente, finisci anche tu per riferiti a te stesso in terza persona con l'unico appellativo che pare oramai ti si addica. Non ci sono più nomi propri, cognomi, titoli o professioni, soltanto una marea anonima ed equivalente di "papà".

Ora, per carità, mi rendo conto che lo fanno a fin di bene, nella speranza di forzarci in questo ruolo che tanta fatica facciamo ad assumere spontaneamente, e in un primo momento, dopo la sorpresa iniziale, anche io mi sono scoperto incline a compiacermi di quel vezzeggiativo così onorevole. Poi, però, il cerimoniale mi è parso sospetto. Mi ha ricordato il rito mattutino con cui, in tutte le scuole di tutti e cinquanta gli Stati Uniti d'America, bambini e ragazzi dispersi tra il New Mexico e l'Alaska vengono obbligati a giurare fedeltà alla bandiera per convincersi di essere una nazione.

"Come l'avete chiamata?" A mio padre, che nel frattempo ha quasi finito il risotto e punzecchia l'orlo di burro fluttuante nel piatto, segno di una mantecatura imperfetta, il cognome evidentemente non basta.

"Anita, l'abbiamo chiamata Anita."

Mio padre depone la forchetta. Non lo dice, ma avrebbe gradito che le dessimo il nome di mia madre, cioè di sua moglie.

A essere onesto lo avrei preferito anch'io, ma non ho osato dichiararlo allora e non lo rimpiango adesso. Oramai i nomi si scelgono e si assegnano sulla base di criteri esclusivamente estetici: le valenze eufoniche, le suggestioni letterarie o cinematografiche, l'abbinamento al cognome. Ed è una perdita secca. I nomi, giù per questa china, finiranno col non significare più niente, un po' come le meravigliose chiese cattoliche nel momento in cui smettono di essere luoghi di culto per degradarsi a scrigni d'arte.

Quando il nostro pranzo si avvia a finire, per evitare che s'intavoli l'argomento del mio lavoro, fonte inesausta di amarezze e conflitti, provo a ritornare su quello dell'assistenza al parto. Lo posso intuire, ma sono anche curioso di capire meglio che cosa agli occhi di mio padre appaia tanto grave e scandaloso nel fatto che io abbia reciso il cordone ombelicale.

"Te ne accorgerai, Glauco," mi risponde ammonitore. Poi tace, per dare più peso alla profezia. "Ai miei tempi i più volenterosi," aggiunge infine, sgranando questa parola totalmente desueta per chi abbia meno di settant'anni, "si spingevano fino ad aspettare in corsia. Se ne stavano lì a fumare una sigaretta dopo l'altra, ma non si andava oltre."

"Fumavano in corsia?" Ora sono io quello sgomento.

"Sì, in corsia. E dove se no?"

Una volta tornato in ospedale, dove tutti subito riprendono a chiamarmi "papà", a cominciare dall'addetta alle pulizie ("Papà, faccia attenzione che il pavimento è bagnato"), da padre tardivo e da fumatore accanito non posso che pagare un silenzioso tributo di ammirazione a quella razza di uomini estinti che fumavano disinvoltamente nelle corsie degli ospedali dove nascevano i loro figli. E a quel loro modo avventato d'essere padri che ne metteva al mondo parecchi.

Nelle corsie del reparto di ostetricia, cerco con lo sguardo i segnali di divieto di fumo. Non lo faccio con l'intento di trasgredirli ma con quello, più modesto, di ricordarmi chi sono. Non li trovo. Fumare è talmente proibito che non c'è più nemmeno bisogno che venga vietato.

Dimissioni

La mattina in cui dimisero Giulia e Anita feci un ultimo giro nella nursery. M'incantai a guardare le culle attraverso il vetro insonorizzato. Bimbi neri, asiatici, meticci. Sembrava una pubblicità anni Ottanta di Benetton, salvo che questi minuscoli fotomodelli erano ancora in fasce, vestivano esclusivamente di bianco, azzurro o rosa e dormivano tutti. Quelli che non dormivano piangevano. Allora ho ripensato a mio padre.

Noi – me lo sono sentito ripetere a ragione da lui fin dall'infanzia – eravamo dei privilegiati. Noi, le donne e gli uomini venuti al mondo nel prospero e pacificato Occidente dopo la fine della Seconda guerra mondiale, appartenevamo al pezzetto di umanità più agiato, nutrito, longevo, sano e protetto che avesse mai calcato la faccia della terra. Il confronto valeva con qualsiasi altra area del pianeta e con qualsiasi altro momento della storia. Eppure vivevamo a stento. Per molti aspetti sembravamo i rampolli di una stirpe insicura, vaga, incerta. Anche nei giorni di vento largo e di cielo terso c'era una polvere sottile che ci impacciava i polmoni. Aveva senz'altro ragione, mio padre, a rimarcare il nostro privilegio, ma se paragonati all'incedere degli uomini della sua generazione, noi a malapena avanzavamo nel nostro giorno con gli occhi a terra, l'espressione nauseata, il fiato corto. Stavamo gracili nell'esistenza storica, con l'aria sempre un po' disgustata ci muo-

73

vevamo malfermi sulla superficie viscida delle cose, come su un pavimento reso scivoloso dalla rottura di una fogna.

Non avevamo quasi più desideri che non si riducessero a bisogni, tutti soddisfatti. Raramente azzardavamo un programma di vita che andasse oltre l'orizzonte del weekend. Pochi, pochissimi tra noi si avventuravano in pensieri a lunga gittata, in prospezioni di archi temporali che abbracciassero l'intera esistenza. Quasi nessuno si azzardava oltre questa misura. Ed era inutile girarci attorno: la più vistosa, e per questo ignorata, evidenza della nostra ingenerosità verso noi stessi, del nostro braccino corto con la vita, era la nostra infecondità generazionale. Lamentavamo spesso l'altrui incapacità di progettare il futuro ma tendevamo a dimenticare che al di là di tutto, da che mondo è mondo, fare figli era il gesto principe di ogni pensiero del futuro. E noi, favoriti dalla sorte, facevamo pochi o nessun figlio.

Certo, non tutto andava per il verso giusto. Spesso, anzi, venivamo colti da un giustificato senso di sconforto. "Non era così che sarebbe dovuta andare," ci ripetevamo ciondolando il capo con qualche buona ragione. L'idea del declino dell'Occidente, soprattutto economico, non era priva di realtà. Eravamo cresciuti in una delirante fantasmagoria da *multilevel marketing*. Ci avevano raccontato che, grazie a piccole percentuali, ci saremmo tutti seduti in cima a una piramide di rendite di posizione. La moltiplicazione dei profitti, ci avevano assicurato, sarebbe stata algebrica, i consumi espandibili all'infinito, la vita una cosa meravigliosa. Si trattava solo di crederci, di avere fiducia, di essere ottimisti. Di fare, ogni giorno e dappertutto, pubblicità a noi stessi.

In verità ci eravamo affacciati all'età adulta in un mondo che, già al principio degli anni Ottanta, aveva smarrito ogni autentica speranza in un prospero avvenire e proprio per questo aveva fatto dell'ottimismo di facciata la propria bandiera, la propria maschera sociale, il proprio slogan. Nessuna chiamata alle armi per i ragazzi del '69, solo crolli di borsa. Poi, però, anche questo va detto, da bambini avevamo giocato con le immagini del fungo atomico e delle Brigate Rosse.

D'accordo, tutto questo era vero. Trent'anni di ottimismo forzato erano davvero troppi per non provocare una delusione cronica. Eppure, nonostante tutto questo, c'era un conto che non tornava: bene o male, avevamo vissuto in pace. Eravamo cresciuti con le guerre in televisione, ma nella nostra carne non c'era il morso delle bombe. Male o bene, avevamo vissuto in pace. Pensando a questo, il nostro sconforto appariva davvero ozioso.

Mio padre aveva dodici anni quando, nel tardo pomeriggio del 24 ottobre del 1942, dovette dare la mano a sua madre e attraversare corso Buenos Aires trasformato in un tunnel di fuoco da settantatré Lancaster della Reale Aviazione Inglese che gli avevano appena scaricato addosso più di duemila bombe incendiarie di grande calibro. Questo non gli impedì, terminata la guerra, avviata la ricostruzione, appreso il mestiere di cuoco sui fornelli a legna di stufe contadine, di tornare a Milano dall'alta Langa, terra d'origine dove la famiglia, o ciò che ne rimaneva, si era rifugiata a seguito del bombardamento, per poi lì, in quella città che aveva visto mutarsi in un tizzone ardente, mettere al mondo tre figli, tutti maschi. E nemmeno gli impedì di guardare al futuro dall'uscio del suo ristorante, fondato proprio all'angolo tra via Panfilo Castaldi e corso Buenos Aires, non lontano dal civico numero 33 sotto le cui macerie, vent'anni avanti, era rimasto sepolto il corpo di un futuro nonno che non avrebbe mai conosciuto i suoi nipoti.

No, la nostra vita vissuta non ci autorizzava a disperare, mi ripetevo quella mattina mentre guardavo mia figlia neonata attraverso la vetrata della nursery, pensando a mio padre. Nemmeno a sperare, avrebbe potuto obiettare qualcuno. Ma il fatto è che, probabilmente, non ci autorizzava a niente.

PARTE TERZA

I nazisti del sonno

Nostra figlia uccise il sonno.

Come fece? Lo strozzò alla carotide: per un anno e mezzo non dormì. Nei suoi primi diciotto mesi di vita, Anita si svegliò circa cinque volte a notte, richiedendo ogni volta una media di mezz'ora di tempo per riaddormentarsi. Il conto è presto fatto: due ore e mezzo moltiplicate per cinquecentoquaranta notti, settantotto settimane e diciotto mesi assommano a milletrecentocinquanta ore di sonno perdute. Benvenuti nella vostra nuova vita.

Non ho nessuna intenzione di addentrarmi nella sconfinata aneddotica riguardante il dramma elisabettiano del sonno perduto, le sue metafore obbligate (il bimbo come "bomba a orologeria" che esplode non appena lo si depone nella culla), la sua ferocia risaputa (la madre forsennata che minaccia di "sbatterlo contro il muro"). Purtroppo sono territori oggi noti a tutti. Nessun mistero, nessuno escluso. Il mondo, si sa, è divenuto piccolo.

Mi sono inoltre convinto che l'aneddotica sia il sintomo della patologia, non la sua diagnosi. Quando in osteria intere tavolate di maschi adulti in libera uscita si ritrovano a disquisire per tutta la sera di tecniche, tattiche e strategie di addormentamento d'infanti, e a lamentare i loro insuccessi notturni nelle camerette dei figli lattanti invece di bere vino spesso, divorare stracotti, discettare di calcio, fantasticare di donne e litigare di politica, bestemmiando semmai il mondo e la vita per gli inevitabili fallimenti in ciascuno dei tre campi, ebbene quelle discussioni appaiono ai miei occhi come parte del problema e non come le palestre dialettiche di una sua possibile soluzione. Non ci sperate: nessuna rivelazione vi attende in fondo alla calle triste di quei dibattiti. Otterrete soltanto che vi si freddi l'arrosto. Il Nebbiolo vi andrà di traverso e la sudamericana seduta al tavolo accanto vi ignorerà, rivolgendo le sue attenzioni a colui che le appare come un vero maschio. E non sarà nessuno di voi.

Basterà dunque riferire che Giulia e io le provammo tutte per far dormire Anita e fallimmo ogni volta. Vorrei però rivendicare, sebbene senza orgoglio, i nostri fallimenti. Le centinaia di ore trascorse da quella donna, oramai prossima al delirio, sulla sedia a dondolo di fianco a una culla vuota, la figlia in collo, il seno snudato. E le centinaia di chilometri percorsi da quest'uomo sonnambulo, con la figlia in braccio, nel rettangolo angusto di una stanza di metri quadri diciotto. Un pellegrinaggio senza alcuna destinazione, costantemente interrotto e infranto contro il muro del pianto. Le voglio rivendicare queste minuscole, domestiche disperazioni, perché l'alternativa è a mio avviso peggiore.

Mi sto qui riferendo al metodo proposto da uno specialista catalano di fama mondiale e da una brillante giornalista, consegnato a un libriccino intitolato *Fate la nanna*, il quale promette di risolvere semplicemente e per sempre l'insonnia del vostro bambino. Un caso internazionale – lo potrete scorgere in cima alle classifiche dei libri più venduti settimana dopo settimana, mese dopo mese, anno dopo anno – seguito alla lettera da schiere di adepti in tutta Europa e in Nord America. Un piccolo libro di successo per genitori di successo. Io, però, il medico catalano e la sua complice li aborro e li rigetto. Per me loro sono i nazisti del sonno. Ma io, io sono un fallito.

Il sistema di pensiero dei nazisti del sonno è semplice. Si basa sull'assunto della deviazione patogena dal corso naturale delle cose: secondo loro, le turbe del sonno derivano dalla somma di tanti nostri piccoli errori di calcolo lungo la rotta, abitudini scorrette contratte nei primi anni e mesi di navigazione che condurranno poi la nostra esistenza a naufragare contro gli scogli dell'insonnia. Il loro rimedio è altrettanto semplice: la sconfinata fiducia nella supposta capacità redentrice della tecnica, grande raddrizzatrice di torti. Essenziale è che il bambino impari subito ad addormentarsi da solo. Se non lo ha fatto in principio è necessario che lo reimpari presto, o comunque prima che sia troppo tardi. Sì, perché secondo loro il sonno s'insegna. Si può insegnare, a chi ne difetti, la fiducia totale verso la caduta nel vuoto della coscienza senza la quale non si dà il necessario abbandono. Pedagogia e ortopedia, "trattamento" e "processo di rieducazione": queste le parole d'ordine dei nazisti del sonno. Una lezione di tenebra.

La scuola del neonato è oramai nota a tutti: fategli il bagnetto la sera, dategli il tempo di fare il ruttino dopo averlo nutrito, cambiategli il pannolino; poi vestitelo con indumenti comodi e confortevoli prima di coricarlo, deponetelo dentro una culla tiepida, mettete la culla in una stanza a temperatura adeguata; e ancora, dategli regole certe (il bimbo ne ha bisogno), mostratevi sereni (il bimbo percepisce i vostri stati d'animo), favorite l'associazione tra la nanna e gli elementi esterni (il bimbo associa, eccome se associa), ripetete sempre gli stessi gesti (i bimbi si appagano dell'ottusità di esistere). Strutturate infine un contrasto tra luce diurna e tenebra notturna (di notte lasciatelo al buio), tra rumore e silenzio (di notte state quieti), e create un rituale (il bimbo è già un essere civilizzato).

Fin qui tutto bene, tutti d'accordo. Ma che cosa succede quando la civiltà fallisce, quando sprofonda sotto il peso dei propri eccessi? I problemi con i nazisti del sonno – come con qualsiasi altra truppa di nazisti – cominciano quando cominciano i problemi.

Cosa faremo quando l'incrinatura, a dispetto di ogni nostra accortezza, o forse proprio a causa di essa, produrrà una crepa nel cristallo (e la crepa, statene certi, si produrrà)? Quale coniglio tireremo fuori dal cappello quando la vita s'incaricherà di dimostrare che non bastano alla sua e alla nostra felicità la giostrina, il succhiotto e la copertina? Come ci comporteremo quando tutto brucia? La risposta, chiara ma velata, di questi ortopedici dell'umanità ai suoi primi passi è una sola: il trauma.

I nazisti del sonno sono dei duri, amano le cuspidi, gli oggetti acuminati. E dunque mai più il biberon, mai più la canzone sussurrata, mai più la mano calda e paterna sulla schiena. Ricordate il vostro obiettivo: mai più niente di tutto ciò di cui il bambino potrebbe in seguito essere privato. E tra queste cose deperibili, impermanenti, dunque vietate fin dal principio, includete voi stessi: la mamma e il papà. Sono cose che non durano.

Preparate quindi il *setting* con tutto ciò che non svanisce, date la buonanotte a vostro figlio con voce adulta e serena, poi spegnete la luce, chiudete la porta alle vostre spalle e abbandonatelo al pianto. Se nei primi minuti piangerà come una vite tagliata, e lo farà sicuramente, non badategli. Continuate a parlargli come se nulla fosse, concentrandovi sulle parole con le quali gli spiegate come saranno le sue "nuove notti". Scanditele a una a una perché suonino chiare una volta e per tutte. Se piangerà e si sgolerà anche nei minuti e nelle ore successive, se tenderà le braccine in segno di supplica, se urlerà, vomiterà e singhiozzerà fino a strangolarsi nel disperato tentativo di far tornare le cose come erano prima, ecco giunto il momento in cui dimostrare la vostra forza. Non vi lascerete rituffare in un passato che per voi oramai non esiste più. Lui si agiterà in preda a convulsioni, se avrà già la parola la userà per dire "sete", "fame", "bua", "ti prego", ma voi non cederete, voi farete finta di nulla, voi sarete "stoici".

Certo, non dovrete dare l'idea che il vostro abbandono abbia un carattere "punitivo". Rientrerete perciò di tanto in tanto nella stanza ma non lo abbraccerete, non lo accarezzerete, non solleverete dalla sua culla di lacrime il vostro bambino. Vi limiterete, invece, a ripetere la vostra solfa rassicurante. Sempre con voce calma e serena in faccia alle sue urla disperate, allungando via via di più gli intervalli della vostra scomparsa. Ogni quanto potrete fare ritorno? Eccovi la tabella.

La "grande guerra è appena cominciata". Si tratta ora di "aspettare e soffrire". Tranquilli, nessuno ci sta abbandonando, la nostra non è vera sofferenza, la tenebra può essere insegnata.

Funziona? Sì, funziona, di questo possiamo stare certi. Il trauma è un'esperienza della massima efficacia. Il trauma è l'esperienza, il trauma è l'efficacia. Vostro figlio imparerà da esso, si educherà alla sua scuola. La sua visione del mondo si plasmerà in quei lunghissimi minuti di sconforto durante i quali, qualunque sia la tabella oraria del vostro ritorno, la numerazione ascendente della sua inesausta attesa scaverà nella pasta molle della sua troppo umana speranza una microscopica ferita che lo accompagnerà, come un compagno segreto, un agente in sonno, per il resto della vita, pronta a risvegliarsi in un futuro più o meno remoto e a spargere altro sangue ogniqualvolta l'ultima luce della stanza verrà spenta e la porta richiusa. E ora chiedetevi: è questa traumatica causa efficiente che io voglio per mio figlio?

Per parte mia, conosco la risposta. Non la voglio, vi rinuncio come si rinuncia a Satana. Io mi attengo a un'altra professione di fede. Io credo nel dono delle cose deperibili, nella forza benigna irradiata dalle gioie caduche; credo anzi che le cose di cui potremmo essere privati – e di cui perciò saremo immancabilmente privati – sono nella nostra vita le uniche cose di valore. La mia è una fede nella privazione. Nella privazione e nei suoi confratelli. Su questa prima pietra si edifica la mia chiesa.

Io non credo nelle parole determinate e serene che educano alla scoperta brutale, credo invece nella parola umana disperata e commossa che sempre, in ogni epoca, si pronuncia a dispetto di tutti i suoi fallimenti, in un tentativo estremo di allontanare l'impersuadibile morte. Alla fine non c'è che abbandono, su questo siamo tutti d'accordo, il suo segno d'aria vince sempre, ma proprio per questo motivo ogni abbandono, sebbene minuscolo, è una punizione. Ecco perché mi sono convinto che si debba cedere quando si sente dire "sete", "fame", "bua", "ti prego". Io credo infatti che nulla potrà mai convincerci ad accettare le nostre nuove notti e nulla potrà consolarci del fatto che niente tornerà come prima.

Il trauma funziona, non c'è dubbio, ma proprio per questo io mi manterrò fedele alla promessa: se mia figlia piange vuol dire che soffre, e se soffre io porrò fine al suo patimento. Anche il teatro della sofferenza, anche la sua commedia buffa, non sono privi di un loro segreto dolore. E allora io lo sopirò, quel dolore, lo blandirò come una divinità irata. Magari provvisoriamente, magari farò peggio, magari sarò balsamo, non cauterio, ma afferrerò con i denti i lembi della ferita e la ricucirò con le labbra insanguinate. Io credo nella cura, non nella guarigione. Io sono un fallito.

E mia figlia deve sapere che, se piange, suo padre – questo padre infermo, questa madre mancata – non la lascerà sola, non finché esalerà l'ultimo fiato. Non avrà perciò da me nessuna piccola crudeltà funzionante, nessuna ombra di abbandono efficiente. Ci penserà poi la vita a tutto questo, ci penserà la morte. La mia, la sua, quella di tutti. Ma fino ad allora io protesto. E resisto a oltranza contro i nazisti del sonno.

Cose più antiche del mondo

Ricordo una notte in particolare di quella mia cedevole resistenza. Doveva essere la prima o la seconda notte che trascorrevo da solo con Anita.

Giulia l'aveva lavata, vestita, nutrita, addormentata e poi era uscita. Erano trascorsi già nove mesi dalla nascita della bambina, nove mesi d'insonnia, e soltanto allora la madre riusciva a concedersi una notte fuori casa per una trasferta di lavoro l'indomani mattina. Doveva per forza essere una notte tra la domenica e il lunedì, turno di chiusura settimanale del ristorante.

Trascorsi le prime ore di quella notte guardando la televisione. Anzi, sarebbe più esatto dire che l'ascoltavo. Un orecchio teso verso la cameretta di mia figlia e l'altro dedito alle chiacchiere di un talk show di seconda serata.

In quel periodo, infatti, ero divenuto un adepto della vacuità televisiva. Provavo un inedito e pericoloso senso di appagamento nei confronti del parlottio edulcorato che teneva prudentemente a distanza di sicurezza l'evento di cui narrava, qualunque esso fosse. Il suo cicaleccio non mi tediava affatto, anzi gli ero grato. Non ero per nulla sordo al gesto compassionevole e previdente con cui la televisione popolare differisce sistematicamente la realtà delle cose. Al contrario in quelle notti, a fronte dell'ipotesi che Anita potesse improvvisamente svegliarsi e piangere disperatamente, qualcosa in me aveva sterzato verso l'insano gusto per l'irrealtà.

E infatti, durante l'interruzione pubblicitaria di un programma sportivo, quei pochi secondi d'intervallo nei quali il telespettatore passa di solito da un canale all'altro prima di far ritorno al programma d'origine, Anita si svegliò. Si svegliò e non si riaddormentò più.

Formulai ogni possibile ipotesi: incubi, fobie notturne, caldo, freddo, fame, sete, gengive, colichette. Tentai ogni rimedio: cantare, dondolarla nella culla, cullarla tra le braccia, toccarla e lasciarsi toccare, darle la mano, darle del latte, darle dell'acqua. Niente da fare, niente da pensare, Anita rimaneva inconsolabile.

Presi allora a camminare. Percorrevo la casa assecondando un istintivo moto ondulatorio. Con mia figlia in braccio, basculavo come basculano i portatori delle statue del santo nelle feste patronali o i portatori di bare ai funerali dei parenti. Avevo sempre creduto che l'ondeggiare del carico a destra e a sinistra fosse un gesto rituale voluto, un atto sacramentale mirato, un movimento ritmico che stava a simboleggiare un qualche ciclo naturale di rinascita e morte, un percorso spirituale di caduta e redenzione. Adesso invece, dopo un'ora abbondante di passeggiata notturna con il modestissimo peso di mia figlia tra le braccia, capivo che era in realtà dovuto all'incontro di una ferrea legge della fisica con la fragilità umana: si ondeggia per alleviare il nostro fardello. In quelle circostanze il moto ondulatorio, alternando caricamento e scaricamento di feretri o madonne, serve ad alleviare la fatica nel transito terreno di noi vivi, non a propiziare il viaggio dei morti o a celebrare la gloria immortale dei santi. Ma nella mia circostanza non serviva a far riaddormentare mia figlia.

Allora provai con lo scotimento. La scuotevo con crescente vigore, spingendola su e giù a forza di braccia. Scossa a quel modo, Anita un poco si placava. Subito dopo, però, ero io a smettere perché le leggevo in volto i segni di una muta da panico. Il suo faccino congestionato e contratto evocava in me quei poveri cardellini che, quando odono uno sparo, anche se non colpiti, lasciano cadere cospicui ciuffi di penne imitando gli effetti della ferita. Qualunque sia la provenienza, la traiettoria e la destinazione del proiettile, la loro risposta è sempre la stessa: il trauma, ancora quello. No, basta scotimento. Non sarebbe risuonato nessuno sparo, anche se mancato, nel cielo notturno di mia figlia.

Al culmine dello sconforto, verso le tre del mattino, nell'ora del lupo, per caso mi parve di trovare un rimedio. Mi ero rinchiuso in cucina – alla fine sempre la cucina o il bagno decidono delle nostre vite – sperando che da lì gli strepiti di Anita non raggiungessero l'intero condominio. Lo sguardo della piccola fu catturato per un attimo dalla luce, prima fioca e poi più intensa, irradiata da una lampadina alogena a basso consumo. Io allora, assecondando un impulso ancestrale, la innalzai sopra la testa accostandola alla fonte luminosa. Anita finalmente si chetò.

Io non mi mossi più. Rimasi per lunghissimi minuti in quella postura improba, le braccia levate al cielo a reggere mia figlia. Cascasse il mondo, non mi sarei mosso di lì di un solo centimetro. Dopo poco, non sentivo più le braccia ma sentivo l'infanzia dentro di me, il suo smarrimento cosmico innervatosi attraverso un fascio di tendini intorpiditi. Marmorizzato in quella posizione, come una statua antica tenevo mia figlia sollevata sopra la testa, esponendola in quella notte artificiale e arcana alla luce bianca di una lampadina ad alto risparmio energetico. La sollevavo con le braccia e con il pensiero.

Fu in quelle notti che divenni un indemoniato. Mentre la bambina mi dormiva accanto, nelle poche ore di sonno scampate al pianto, cominciarono a visitarmi demoni femminili di ogni genere e sorta. Erano demoni antichi e venivano sempre per spremere lo sperma dai miei fianchi. Ero sul punto di scoprire l'insaziabilità dei nostri fantasmi.

Demoni

La nuca batte leggera contro l'assito di legno marcito. Nulla di grave, non c'è ematoma o escoriazione, niente sangue o travasi sierosi. Soltanto, a impregnare i riccioli biondi sfiammati da colpi di sole, mèche bicolore e tinture a ossidazione per una colorazione permanente, un impercettibile pulviscolo di legno segato dalla lenta, costante, metodica lavorazione dei corpi in amore. Nulla di grave eppure la nuca batte, un colpo dopo l'altro soffocato dalla capigliatura abbondante, sospinta all'indietro dalla carne sessuale protrusa nella bocca aperta e però chiusa, morbida, accogliente e al tempo stesso serrata, mascellare.

La donna non è sulle ginocchia, è accovacciata, tonica, pronta, aderente, in posa da atleta fotografata prima della lotta, schiena contro schiena con una porta sul retro, una porta di servizio. L'uomo, in piedi, le si erge di fronte, una mano appoggiata alla medesima porta, le pagliuzze di legno sfranto conficcate nel palmo, l'altra imposta ad artiglio sulla sommità della testa.

Sono soli nel cortile interno dietro i capannoni, tensostrutture prefabbricate grazie a scheletri di acciaio tubolare, flesso secondo linee curve e saldature a fiamma. Soltanto le sbrecciature del cemento, gli intonaci crepati e le polveri da inquinamento testimoniano quel loro asimmetrico, consenziente strangolamento frontale consumato nello spazio retrostante. A parte il piccolo tonfo periodico della nuca contro il legno del battente, nel cortile non c'è altro rumore. E nessuno verrà ad aprire.

"Piano, fai piano, non riesco a respirare." Glielo dice, liberata, dopo avergli premuto entrambe le mani contro gli inguini. La sua voce è affannata, sussiegosa e divertita, grata di aver ritrovato il respiro dopo una lunga apnea, quasi euforica per quell'attimo di iperventilazione che segue l'asfissia, la segue e la precede.

Lui infatti subito ricomincia, riprende a martellare ostinato, metodico senza alcun metodo, risponde ossessivo al richiamo del sangue, quello che non è il sangue del tuo sangue, quello nemico del vuoto che scorre inesorabile, inondando e saturando il corpo cavernoso, e non conosce se stesso né ascolta altro richiamo, non distingue tra sangue fluente o rappreso, sgorga da arterie che non possono essere suturate ricorrendo a un'ordinaria dotazione da pronto soccorso domestico.

Lui è in piedi, mezzo nudo, le natiche nude, le cosce nude, sguinzagliato. Ora la fa alzare. Cambiano le anatomie della sottomissione. La piega in avanti, le infila le mani sotto le ascelle, la afferra allacciando le dita intorno al collo. Il corpo di lei, preso in quel modo, sobbalza sguaiato nello sconquasso voluto. L'uomo si dà al bracconaggio. Le muove una guerra di rapina. Da dietro.

A ogni colpo segue un sussulto, una scossa d'assestamento che s'innerva lungo la spina dorsale, scorrendo intera la colonna vertebrale fino a sfociare nell'osso sacro. L'odore dei corpi artificialmente profumati si mischia a quello degli avanzi di cucina che esala dal bidone dei rifiuti. Amarige di Givenchy, il suo messaggio di felicità secreto in un bouquet di fiori d'arancio, pesca, tuberosa e gelsomino, si mescola alla melanzana, alla cipolla soffritta, al camembert strapazzato, alla pasta brisè stesa a mano. Lui ha la sensazione di avventurarsi in un entroterra, avanza aprendosi una pista nella boscaglia.

"Vengo." Lo annuncia arrochita, stupita e affascinata da quella rivelazione improvvisa. Evidentemente la cosa l'ha colta di sorpresa. Lui insiste ancora un poco, poi si toglie. Lei, per un attimo, rimane completamente sola in quella posizione, vibratile, spalancata, come le cicogne del mito che si riproducevano sospendendosi in volo e lasciandosi fecondare dal vento. Poi si riprende, si china su di lui e lo finisce come aveva cominciato.

"Benvenuto alla prima edizione del Milano Food and Wine Festival," gli dice. È contenta, soddisfatta, fa la spiritosa. Ora che tutto è andato bene, ora che la kermesse culinaria è ben avviata, può ironizzare da professionista sicura sul proprio ruolo di addetta al coordinamento tra cantina, sala e cucina. Non c'è malizia né superbia in quella battuta. Ha solo detto una cosa carina.

Lui, però, ascoltando quelle parole, non può fare a meno di rievocare mentalmente un aneddoto della sua tarda adolescenza, una di quelle leggende metropolitane che si diffusero alla fine degli anni Ottanta, quando l'acronimo della nuova pestilenza pose prematuramente fine alla breve stagione della sessualità sfrenata. Pare che un'agente di borsa newyorkese, risvegliandosi dopo una notte di baldoria, non trovando nel letto la ragazza conosciuta la sera prima in discoteca e nemmeno un biglietto, un segno qualunque di saluto, l'avesse cercata nella sala da bagno. Sullo specchio, sopra il lavandino, stava scritto con il rossetto a caratteri cubitali: "Benvenuto nel mondo della sindrome da immunodeficienza acquisita."

La prima stella

Fu in quelle stesse notti che cominciai a sognare la prima stella.

Rientravo in casa furtivo, sperando di cogliere moglie e figlia in uno iato di sonno. A volte, se da dietro la porta le sentivo sveglie, tornavo in strada e giravo tre volte attorno all'isolato. Se invece mi andava bene, non osando nemmeno spiare Anita, mi stendevo ancora fetente di griglia e di frittura accanto al corpo di Giulia – quel suo corpo immobile, spremuto e schiantato, consegnato al materasso in lattice del nostro letto matrimoniale come a una tomba molle – e, prima di addormentarmi solo come un cane, vagheggiavo la stella. La desideravo con l'ardore del sesso.

La luce fioca ma tenace di quella stella, o il suo miraggio, aveva guidato il mio cammino degli ultimi anni. E il cammino veniva da lontano.

Non ho mai dubitato di ciò che sarei stato nella vita. Fin da ragazzo ho sgobbato nella cucina del ristorante di mio padre e fin da allora il mio desiderio di diventare uno chef ha preceduto e superato l'interesse per la gastronomia. Sapevo che un desiderio tanto ostinato, una passione così cerebrale, si sarebbero giocoforza realizzati. Dovevano però compiere una lunga deviazione prima di ritornare all'origine.

Subito dopo la laurea in filosofia, lasciai il ristorante di famiglia per avventurarmi in mare aperto. Mio padre non fece nulla per trattenermi. Credo che mi lasciò andare più per sdegno, e per l'acuta consapevolezza di certe ineluttabili fatalità della vita, che per liberalità. "Quella è la porta," si limitò a dire, e io la imboccai sapendo che non avrebbe nemmeno alzato gli occhi dal tagliere dove stava sminuzzando lo scalogno con il suo coltello Wüsthof.

Negli anni successivi mi feci le ossa seguendo la trafila completa. Mi unii alle più scalcinate e piratesche brigate, servendo come cuciniere di linea: dalle insalate passai alle zuppe, da queste approdai prima alle griglie e poi alla postazione delle salse. Infine mi guadagnai le stellette di *sous-chef* all'Antica Osteria della Pesa, uno dei più vecchi e rinomati ristoranti milanesi, situato sulla cerchia dei Bastioni nel punto in cui nell'Ottocento le merci giunte dal contado venivano pesate al dazio, e frequentato perlopiù da uomini d'affari che andavano a mangiarci le cervella fritte e l'ossobuco transitando sotto una lapide in marmo che ricordava il soggiorno negli anni Trenta del futuro comandante Ho Chi Minh.

Lì fui raggiunto dalla notizia: mio padre si ritirava. Aveva compiuto settant'anni e passava le consegne. Non le avrebbe passate a me, però, ma a Gualtiero, suo secondo in cucina. Avrebbe prolungato lui la sopravvivenza della "linea lombarda" alla quale mio padre aveva dedicato la vita, preparandosi la maionese da solo, confezionando i dadi da brodo con le ossa del macello e ricostruendo letteralmente dalle macerie di un interminabile dopoguerra la cucina tradizionale, rasa al suolo prima dalle bombe angloamericane e poi dalle pennette alla vodka e salmone. Il suo secondo, e non suo figlio, avrebbe continuato a portare in tavola pomodori del Parco Agricolo Sud che ti lasciavano le mani profumate per un quarto d'ora dopo che li avevi pelati e pesce persico del lago di Como, pescato la mattina stessa da una rete di piccoli pescatori intessuta per decenni e pagato trentadue euro al chilo quando i branzini d'allevamento tanto di moda ne costavano quattro. Gualtiero, non io, avrebbe continuato a proclamare stolidamente che la tradizione è innovazione.

Ancora qualche anno e poi toccò a me, come era destino. Il destino, però, terminò lì la sua corsa. Il giorno in cui mio padre mi mandò a chiamare fu l'ultimo della sua biografia, non il primo della mia. Io infatti, come avrei scoperto in seguito, appartenevo a una generazione di uomini senza biografia.

Portai con me il mio portafoglio clienti, il mio salsiere, il mio lavapiatti e chiesi carta bianca. La ottenni per un motivo molto semplice: mio padre era un vecchio. Inoltre, era vissuto abbastanza da ricordare l'epoca in cui i figli seppellivano i padri con la mano destra, la mano che regge i ferri del mestiere.

La prima cosa che feci, un istante dopo aver indossato la giacca da chef, fu togliere il pesce persico del lago di Como dal menù. Lo sostituii con il rombo al cacao e salsa di passion fruit del Madagascar. Era più buono? A essere onesto non saprei, era semplicemente un gesto che andava fatto. Si doveva farla finita, prima o poi, con l'orgoglio del lavarello all'erba cipollina. E poi volevo la prima stella.

Non scatenai esattamente una rivoluzione. Mantenni intatto l'arredamento e il décor – il pavimento di granigliato rosso e grigio delle vecchie case milanesi, le stufe di maiolica dismesse, le boiserie Belle Époque, i lampadari di Murano. Li tenni perché la moda del vintage e del finto-antico che simula la patina del tempo si sposava a meraviglia con la patina vera. No, non rivoluzionai niente. Operai invece una trasformazione per piccoli segni: studentesse universitarie e giovani omosessuali a servire in sala invece di vecchie cariatidi, qualche effrazione alla rigidità del menù, l'abbattitore di temperatura per surgelare i cibi freschi e la gomma di xantano per legare gli spaghetti.

La clientela se ne accorse comunque. Non venivano più a cenare da noi agenti di commercio in viaggio d'affari, coppie agiate alle nozze d'argento e gruppi di maschi buongustai di mezza età, ma tavolate di donne single in carriera, fotografi di moda vegetariani e imprenditori brianzoli quarantenni in blazer, jeans ed escort venezuelana.

Se ne accorse ovviamente mio padre per primo. Sul pesce persico non disse niente. Gli doveva esser parso naturale che decidessi di prendere la mia strada. Parlò, invece, quando feci la mossa successiva. "Hai tolto le saliere dai tavoli," osservò con il tono solenne di chi prende atto di un tradimento. "Devi decidere," aggiunse poi mentre già indossava il cappotto, "se vuoi fare l'artista o vuoi continuare a dar da mangiare alla gente." Capii subito che non sarebbe più tornato sull'argomento, né avrebbe più messo piede nel ristorante.

Indubbiamente mio padre aveva ragione. No, non si era sbagliato, l'alternativa era quella. Un artista non sottopone la propria opera al giudizio del cliente, non la offre ai ritocchi di chi è venuto ad ammirare il suo quadro. Un artista si esprime. Punto e basta. Dunque, niente saliere e avanti sulla strada della prima stella.

La nuova edizione della guida Michelin viene presentata ogni anno nel mese di novembre, un mese che sul calendario di chi lavora nella ristorazione ha la fissità ieratica del Natale di Nostro Signore. Nel corso di una riunione blindata, al termine di un ferreo e riluttante cerimoniale, si annuncia al mondo quali saranno per l'anno a venire le tavole stellate.

Proprio alla vigilia della proclamazione, il 15 novembre del 2008, Anita fece il suo ingresso nella grande famiglia dei carnivori. Assaggiò per la prima volta in vita sua un boccone di manzo, sebbene frullato e ridotto in poltiglia. Le piacque. Era un buon segno. La stella sarebbe stata il perfetto coronamento.

Un altro buon segno, quasi un presentimento, lo avevo avuto quando, al principio di ottobre, una nuova cliente, una designer coreana in città per MADE Expo, la fiera di architettura, design ed edilizia, giunta al dessert, aveva estratto dalla borsetta di Prada l'ultimo modello del suo Galaxy S III Samsung per fotografare il merluzzo verticale alla crema d'ananas caramellato. Sì, ero un artista.

Il 16 novembre cadde di domenica, giorno di chiusura del ristorante. La trascorsi per buona parte a guardare la televisione. Era un implicito riconoscimento del ruolo che il successo dei programmi televisivi di alta e bassa cucina aveva svolto nell'esacerbare il mio desiderio della prima stella.

Non si trattava di autentico divismo, questo lo sapevo. Erano finiti i tempi in cui il mondo era ancora popolato di uomini e dei. Gli chef televisivi io non li ammiravo veramente, nessuno di noi li ammirava veramente, perché non avevano niente a che spartire con Clark Gable o Greta Garbo, creature rilucenti dello splendore della gloria per la loro semplice e inarrivabile esistenza. Al contrario, ciò che un tempo era stata una luminosa eccezione era divenuta adesso la regola di una società che aveva dato per assodata la celebrità quale status alla portata di tutti. In questo modo il divismo minore di massa, realizzatosi quale condizione universale, si era trasformato in un opprimente imperativo. Chiunque di noi avrebbe potuto condurre il talent show culinario *MasterChef*, e dunque era obbligato a lottare senza esclusione di colpi per arrivare a farlo. La televisione aveva creato un limbo in cui pascolavano esseri ibridi, mezzi uomini e mezze icone, in un regime di popolarità senza autentica gloria e senza autentica fama, un Olimpo alla portata di tutti che, quindi, condannava tutti a volerne fare parte a ogni costo.

"Sei una promessa, una fulgida promessa." Così recitava il messaggio di conforto. La notizia che non avevo ottenuto la stella mi giunse tramite sms da un'amica giornalista. Ero stato inserito nella ristretta lista delle "promesse", la selezione che identifica i migliori esercizi di ogni categoria, in predicato di accedere alla distinzione superiore qualora la costanza delle loro prestazioni venga ribadita l'anno successivo.

Era più di quanto avesse mai ottenuto mio padre che, decennio dopo decennio, aveva sempre visto confermate le sue quattro forchette, segno distintivo di grande, solida e immobile tradizione. Eppure quando lo seppi mi disperai. A lui la vita non aveva mai promesso niente, ma aveva mantenuto tutto.

Uscii e andai a ubriacarmi. Quando rientrai a casa a tarda notte e m'infilai a letto, stavo ancora piagnucolando. Anita eccezionalmente dormiva ma Giulia, preoccupata per la mia assenza, era eccezionalmente sveglia.

"Cosa c'è, Glauco?" mi chiese, allungando una mano pietosa. "Non sei contento?"

"Niente, non è niente," le risposi. Mi voltai dall'altra parte e mi rifugiai nell'incoscienza.

Mentre scivolavo nell'oblio, avvertivo la grandezza della città attorno al mio corpo riverso. Mi sentivo come un minuscolo imenottero nel formicaio della metropoli moderna. Il giorno appresso mia moglie mi disse che avevo pianto nel sonno.

La nuca di mia moglie

Di Giulia, in quel primo anno e mezzo, ricordo la nuca.

La nuca che mi opponeva il suo corpo spolmonato quando rincasavo a tarda notte e la trovavo collassata nel sonno, o la nuca come ultimo, unico, definitivo messaggio quando si girava sul fianco sinistro, acchitando la sponda estrema del letto dopo aver riaddormentato o nutrito per l'ennesima volta nostra figlia. La nuca, sempre e comunque la nuca, la parte posteriore del collo snudata da un taglio di capelli brutale e virile deciso la settimana successiva al parto. La nuca, quella parte così importante del corpo in cui passano organi vitali quali la colonna vertebrale, l'esofago, la trachea, nonché i grandi vasi che vanno a irrorare il cervello. La nuca, quella parte anonima, angosciosa e arcana, la nuca fu ai miei occhi il volto di Giulia nei primi diciotto mesi di vita di nostra figlia. A volte, morso da un'insonnia irata, rimanevo a fissarla per ore come il punto cui mirano gli assassini per uccidere.

Provavo infatti – sarebbe ingiusto negarlo – una gran pena per quella donna nominalmente così forte, crollata psichicamente nell'istante stesso in cui aveva partorito il suo primo figlio, ma provavo anche – sarebbe inutile nasconderlo – una intensa rabbia centrifuga nei confronti della sua imprevedibile rotta.

Conserviamo tante fotografie di quei giorni, ma se qualcuno ci avesse autenticamente ritratto in quanto coppia, al centro dello scatto si vedrebbero un maschio che gira lo sguardo in alto a destra, in cerca di un'impossibile linea di fuga, e la nuca sottile di una femmina con un taglio di capelli maschile. Questo rimaneva di noi dopo la rottura delle acque: avevamo cominciato a non essere più una coppia un attimo dopo essere divenuti una famiglia.

Come era potuto accadere? Sarebbe fin troppo facile rifugiarsi nella scienza medica delle depressioni post-parto, nel lessico psichiatrico degli sbalzi d'umore dovuti ai neurotrasmettitori della serotonina, della dopamina e della noradrenalina. Facile e vigliacco. Facile perché prevedrebbe una lunga lista di risarcimenti a base di litio e shopping compulsivo, e vigliacco perché getterebbe sulla donna spezzata, sulla madre infelice, la croce del disturbo psichico.

La verità, credo, è che all'origine dell'insistente malinconia in cui sprofondò Giulia c'era un'immensa, reciproca, epocale delusione. Sulla nostra vita era calato un clima monsonico, una cappa umida di umori atrabiliari, perché eravamo immensamente delusi l'uno dell'altra ed entrambi di noi stessi. Il maschio deludeva la femmina e la femmina il maschio. Si deludevano a vicenda per il fatto stesso di esistere ancora, perché avevano creduto, e forse perfino sperato, di potersi sbarazzare in un quarto d'ora di milioni d'anni di storia della specie e di millenni di storia della cultura.

Giulia aveva ulteriormente accorciato il proprio taglio di capelli, Giulia aveva rifiutato le tutine rosa per sua figlia, Giulia aveva scelto per sé un compagno disposto a cambiare i pannolini e a caricare i piatti nella lavastoviglie, eppure alla nascita di sua figlia non aveva potuto evitare di indossare la maschera di mater dolorosa che avevano già indossato nei secoli tutte le donne della sua stirpe. Io, il compagno scelto per questo domestico viaggio interstellare in una nuova era, effettivamente cambiavo i pannolini e caricavo la lavastoviglie, ma mentre lo facevo non cessavo mai per un solo istante di tenere un occhio sul culetto arrossato di mia figlia e l'altro sulla porta d'ingresso attraverso la quale, espletata la corvée, sarei fuggito.

Insomma, nonostante tutto Giulia era ancora una femmina e aveva gli occhi dolci gonfi di pianto e di sonno. Mentre io, ancora un maschio, avevo lo sguardo losco. Eravamo lì, ma avevamo creduto alle favole sbagliate. Per questo motivo era arrivata la stagione delle piogge.

Il secondo sesso

Ciò detto, non mi arrogo il diritto di parlare per lei.

Il falso progressismo che ieri ci illuse di poter essere altro da ciò che siamo sempre stati era lo stesso che adesso mi suggeriva di adottare comunque il punto di vista dell'altro. Se vuoi veramente capire, se vuoi rendere giustizia, devi dotarti di uno sguardo equanime, panoramico, orbitale, devi abbandonare il punto di vista del maschio e assumere quello della femmina, rinnegare l'adulto e schiacciarti sul bambino, congedarti dal giovane e arruolarti nel vecchio. E viceversa. Questo ci ammannisce l'inganno progressista.

E invece no, l'unica cosa onesta che possiamo fare è rassodarci in noi stessi, covare il nostro unico uovo e poi creparne il guscio. Io sono io, io sono un maschio e dunque, per parlare di me e di Giulia con la massima pietosa e impietosa onestà che posso, dovrò parlare di sesso.

Io Giulia l'avevo sempre amata con il mio sesso, che era il nostro sesso. Con lei avevo scoperto una peculiarità del fare l'amore a me sconosciuta, lei mi aveva condotto per mano nei territori dell'eros coniugale, niente affatto vergini e sconfinati. Un paesaggio d'immense piane ubertose e dolci rilievi collinari. La grande pianura urbanizzata, questo è l'eros coniugale. Milano, Berlino, Lione o qualcosa del genere. Un posto dove potresti tranquillamente trascorrere la vita.

Prima di incontrare lei, per me il sesso era sempre stato una specie di lotta. Una serie di agguati su terreni scoscesi, in area rupestre, boschiva, o in mare aperto. Avevo perciò sempre rifiutato l'idea di legare a una persona specifica quell'ennesima manifestazione del mio scontro frontale con il mondo. Le mie amanti erano tutte sparring partner occasionali di una boxe tra ciechi. Colpivo loro ma miravo all'intero universo. All'idea che un secondo essere umano potesse immischiarsi nel mio corpo a corpo con la vita, venivo colto dal terrore che il duello si trasformasse in rissa. Il sesso, insomma, si faceva con gli sconosciuti, fossero anche i tuoi vicini di casa.

Ma poi era arrivata Giulia, il mio secondo uomo. Aveva bussato con le nocche alla mia porta, l'avevo lasciata entrare e come d'incanto il duello era cessato, si era ammansito. Scoprii allora il significato della parola "amplesso". L'eros perse in densità, se volete, ma guadagnò in ampiezza. La copula si fece più breve – nessun bisogno di lunghe ginnastiche – ma acquisì un rapporto segreto con archi temporali più ampi. Divenne un luogo di risonanze, echi di un tempo profondo. Deponendo il mio pene nell'incavo dei palmi di Giulia, riponevo nelle sue mani tutto me stesso.

Lei in seguito lo avrebbe sempre negato, ma fu un impercettibile sporgersi in avanti del suo pube, un tocco leggerissimo dei suoi polpastrelli sulle mie natiche a decidere della creazione di nostra figlia, di tutta la sua vita, della mia e della nostra discendenza. Io mi ci consegnai come ci si consegna in pegno al destino.

Per questo semplicissimo, terribile motivo ora non potevo tollerare il suo rifiuto. E nel primo anno e mezzo il rifiuto di Giulia fu totale, un caso adamantino di repulsione, come se nel mio membro, in quei pochi centimetri di materia spugnosa, fosse racchiusa la potenza maligna che aveva provocato l'interruzione della sua vita sociale.

Ricordo che, per verificare quella conclusione, mi mostravo a bella posta nudo al suo cospetto e osservavo il suo sguardo stordire nelle palpebre che calano sull'amarezza di qualcosa che non si vuole vedere. Sono certo, certissimo, di averla colta più volte chiudere gli occhi sul mio pene floscio o eretto, di averla vista preferire il buio alla scontata, nauseante ovvietà di ciò che si ripete sempre uguale, così facile a prevedersi da consentirci di distogliere lo sguardo un istante prima che accada, come si fa con la scena culminante di un film dell'orrore.

Esiste un secondo sesso – la cosa era ben nota fino alla generazione dei nostri padri, poi l'abbiamo collettivamente rimossa in nome di una leggendaria parità sessuale – e non è il sesso femminile. È, a sua volta, un sesso maschile.

Sessualmente il maschio è un mostro bicefalo. Lo è sempre stato e, sotto sotto, lo sanno tutti. La sua prima sessualità ripercorre la storia individuale, quella che dal bambino conduce all'adulto e da lì a un'ininterrotta, affannosa rincorsa dell'origine, una fallimentare ricerca del passaggio segreto tra l'utero e la vagina. La seconda, invece, ripercorre la storia della specie, la vicenda che replica in eterno il dramma ancestrale della predazione. Ed è un'autentica tragedia voler recitare questo copione sulla scena dell'eros coniugale. Praticare questo secondo sesso con la madre dei propri figli è come commettere un incesto.

Ebbene, non scenderò in dettagli, ma vi dirò che è esattamente questo che io tentai di fare. Cominciò allora per me una potente regressione animale, come se un cieco, furibondo punto d'onore si opponesse alla ripulsa di Giulia nei miei confronti, finendo col darle ragione. Di fianco a premolari devitalizzati nello studio di un dentista, sentivo rispuntare le zanne della bestia. Ma l'animale, risvegliato dai miei demoni notturni, non si rivolse altrove. Il pellerossa immutabile che da sempre viveva, desolato, nell'animo di quest'uomo voleva ululare il suo urlo di guerra contro la donna che, sposandolo, l'aveva civilizzato. Una settimana dopo l'altra, avvertivo assottigliarsi lo strato superficiale della mia vita coniugale. Ben presto, il nostro letto matrimoniale in stile giapponese avrebbe finito per poggiare direttamente su un fondo di basalto selvaggio. Replicavo al gelo di mia moglie con i ghiacci del Pleistocene.

E la cosa peggiore, la più dura da accettare, è che non avevo affatto smesso di amarla. Guardavo con commozione questa donna sfinita rifugiarsi nella sua grotta, scrutavo le prime ombre di una notte negra scendere su questa montagna primordiale, contemplavo con commozione il suo volto antico, severo quanto lo meritavano le nostre vite lasche. Amavo in lei, ora più che mai, l'angustia di chi sente le ristrettezze dell'esistenza, l'infinità degli angoli d'attacco, amavo in lei la dannazione e il dono del vivere a stento, giorno dopo giorno, notte dopo notte, amavo quegli occhi in cui si andava spegnendo il senso della lotta. Amavo soprattutto le sue occhiaie, le sue insonnie. Amavo in lei la trattenuta disperazione di chi oramai, madre di una figlia, non può più abbandonarsi alla voluttà del disastro. Amavo tutto questo, ne provavo compassione, eppure mi inferocivo perché non potevo più mettere il mio sesso nella sua bocca.

Vita segreta di un padre e di sua figlia

Giunti a questo punto, mi rendo conto di aver dato l'impressione che in quel periodo io fossi infelice. Niente di più sbagliato. Al contrario, non avevo forse mai conosciuto la felicità prima di allora. Nella vita segreta di un padre e della sua figlia bambina ci sono infatti momenti di piena e impareggiabile felicità.

Alcuni tra questi erano i "viaggi della speranza". Un altro titolo da melodramma, ne sono consapevole, ma non so che farci: io li avevo battezzati così. Si trattava dei trasbordi in auto attraverso la città per condurre Anita alla poppata di metà mattina e poi riportarla a casa in tempo per potermi occupare del pranzo al ristorante.

Attorno al sesto mese, infatti, Giulia aveva trovato un lavoretto come redattrice di cataloghi di mostre alla Triennale di Milano e ci si era aggrappata. Io, più per la speranza che una ripresa della sua attività professionale rompesse l'assedio domestico che non per il modestissimo guadagno, l'avevo incoraggiata. Giulia era infatti una delle tantissime giovani donne, non più giovanissime, espulse dal mercato del lavoro dalla combinazione di crisi economica e crescente precarizzazione. La casa editrice torinese non le aveva rinnovato il contratto a progetto e l'esplosione della bolla speculativa dei mutui *subprime* americani, allungando le sue lingue di fiamma attraverso l'oceano, l'aveva attorniata di terra bruciata. Una manovra a tenaglia.

La feroce offensiva della finanza speculativa contro le nostre vite contrastava, però, con l'ideologia dell'allattamento al seno propugnata dall'Organizzazione mondiale della sanità. Questa le prescriveva di nutrire Anita con la propria tetta, quella le impediva di trovare un qualsiasi lavoro finché l'avesse fatto. Contraddizioni da tardo capitalismo. E qui entravo in gioco io, il padre attendente.

Per lunghi mesi, mentre si combatteva la battaglia dell'allattamento, ero rimasto di riserva nelle retrovie. Da lì avevo assistito a tutte le manovre. In principio la piccola si era attaccata facilmente e il latte fluiva abbondante, ma poi attorno ai capezzoli di Giulia si erano prodotti piccoli tagli sanguinanti. Si era allora pensato di diradare l'allattamento con la speranza di far riposare il seno, si erano usate creme cicatrizzanti e vari emollienti, ma la piccola piangeva spesso e la mammella si era ingorgata. Si presentava calda, tumefatta e dolente. Poi, però, le cose erano andate meglio. La vecchia vedova Ronzino del terzo piano, sospirando mentre illustrava la tecnica sui propri seni vizzi, aveva insegnato a Giulia a massaggiarsi il seno circolarmente per sbloccare il latte, cominciando dalla periferia fino a raggiungere progressivamente il capezzolo, o a mani parallele, premendo leggermente con il palmo e con le dita, oppure con i pollici convergenti verso il capezzolo e le altre dita a sollevare la parte inferiore, a diamante. Soprattutto la vecchia aveva consigliato di aumentare il numero delle poppate, perché la bambina potesse premere con il suo minuscolo mento contro la parte tumefatta e massaggiarla con la sua piccola lingua forte, la stessa lingua che aveva causato la ferita. La ferita si era così risanata.

Ora, però, toccava a me. Ci si era messa di mezzo la più grave crisi economica del dopoguerra e allora scendevo in campo io, felicissimo di farlo. Vestivo Anita di tutto punto con qualsiasi indumento anche lontanamente imparentato al rosa, la adagiavo nel seggiolino sul sedile posteriore della mia Ford Focus, lo agganciavo alle cinture di sicurezza, inserivo il ciucciotto, ingranavo la prima e a passo d'uomo partivo.

Abitavamo in via Goldoni. Per raggiungere viale Alemagna, sede della Triennale, risalivo via Castel Morrone, poi imboccavo via Nino Bixio, sebbene fosse riservata a tram e taxi, infine percorrevo un tratto dell'anello dei Bastioni fino al Castello Sforzesco. Durante tutto il percorso – circa trenta minuti all'andata e altri trenta al ritorno, variabili a seconda del traffico – pregavo. Un occhio allo specchietto retrovisore posizionato su mia figlia e l'altro alle auto in colonna, in silenzio pregavo. Pregavo affinché quella insondabile creatura non venisse colta da un accesso di pianto. Solo, inerme, le mani strette attorno al volante, sarei stato perduto. Saremmo stati perduti entrambi. Non ho mai creduto in nessun dio, eppure pregavo una qualche divinità straniera della quiete infantile. I tempi di carestia insegnano a fare incantesimi e scongiuri.

Temevo in particolare il viaggio di andata – al ritorno, satolla, la piccola Anita di solito dormiva – e il tratto sopraelevato a più corsie e a scorrimento veloce che costeggia i giardini di Porta Venezia. Se mia figlia si fosse scatenata in quel punto e avesse scelto per sollevare l'inferno uno dei non rari giorni d'ingorgo, non avrei potuto nemmeno accostare. In ogni caso, se pure vi fossi riuscito dopo piazza della Repubblica e l'avessi presa in collo, non avrei avuto nessun modo di placarla.

Trepidavo di timorosa attesa, eppure la cosa mi entusiasmava. Gettavo rapide, ansiose occhiate su Anita attraverso lo specchietto retrovisore e lei mi ricambiava. O almeno di questo mi convincevo. Con quei suoi occhi enormi e completamente arcani, mia figlia mi diceva di andare avanti e di non temere. Ce la potevamo fare, insieme ce la potevamo fare. Eravamo una squadra, una coppia, procedevamo uniti nella marcia, appaiati, fianco a fianco, schiena contro schiena, fratelli. L'abitacolo della mia automobile americana di fabbricazione tedesca, surriscaldato dal termosifone sparato al massimo, protetto dalle esalazioni di monossido di carbonio grazie a strati di lamiere ricurve, quel piccolo guscio climatizzato si trasformava nell'arca di una nuova alleanza. E infatti Anita, in tutti quei viaggi della speranza, non pianse mai una sola volta. Il mio animo, per questo, giubilava.

Ora sento già l'obiezione: non eravate sullo stesso piano, lei non capiva, si rilassava probabilmente solo a causa del dondolio della corsa, e soprattutto non eravate fratelli.

Niente affatto. In quei momenti, rispetto al tema del nutrimento, io e mia figlia infante eravamo compagni. Io di mestiere faccio il cuoco, do da mangiare alla gente cibi sopraffini, ma il mio rapporto con essi è di tipo professionale. Niente di essenziale mi lega all'atto del nutrire, il cibo per me è cultura, sforzo, tensione, terreno sottratto metro su metro alla natura, non butta latte il mio seno. Questo implica che io, il padre, per quanti sforzi facessi, sarei sempre rimasto a una distanza piccola ma abissale da tutte loro, le madri.

Rendendomi conto di ciò, durante uno di quei trasbordi fui raggiunto da una seconda rivelazione. Ricordo che stavo percorrendo a ritroso il tanto temuto tratto sopraelevato dei giardini di Porta Venezia, ma si era oramai sulla via del ritorno, la meta era vicina ed era scesa su di noi la languida rilassatezza che sempre accompagna la fine del viaggio. Anita dormiva quando io, resistendo all'impulso di accendermi una sigaretta, cercando con gli occhi le paperelle che sguazzano nello stagno su cui si china pensosa la statua di Indro Montanelli, capii che avere dei figli significa essenzialmente mantenerli in vita.

Me lo aveva detto un paio di anni prima un vecchio amico, allora già padre di due bambine. Al momento avevo accolto con scetticismo quella sua drastica affermazione. Ancora qualche inverno aggiunto al debito senza possibilità di estinzione che contraiamo con l'esistenza e, divenuto padre a mia volta, ora ne comprendevo il senso. Il mio amico mi stava dicendo che, andando al nocciolo della questione, il divenire genitori consiste nel mettere al mondo una creatura inetta e inerme che dipende interamente da te finanche per la sua sopravvivenza. Una perdita secca e un guadagno immenso. Da quel momento in avanti, infatti, non sarai mai più nella condizione affascinante di sentirti solo al cospetto dell'universo, perché ci sarà un altro essere vivente che, dipendendo da te per restare in vita, ti ancorerà a questo piccolo pezzetto di mondo senz'altro orizzonte che la lotta per la sussistenza, a questa grama ma eterna zolla di terra che calcherai da modesto bipede modestamente equipaggiato per transitare brevemente nell'esistenza. Sarai tu a far battere quel piccolo cuore, tu che con il tuo fiato sosterrai il suo respiro. Ecco finiti i tuoi giorni da idiota del cosmo.

Quella mattina, folgorato da questa rivelazione, mentre violavo per la seconda volta il divieto di transito che interdiceva via Nino Bixio al traffico privato, sospinto dall'intimità con mia figlia verso riflessioni sul senso della vita, mi dicevo che gli uomini dovevano aver conosciuto da sempre questa verità elementare, eppure oggi noi sembravamo averla dimenticata. Soprattutto noi padri. Nelle nostre società opulente e infeconde di fine millennio si era verificata una sorta di terziarizzazione della paternità, e perfino della maternità. Mettevamo al mondo pochi o nessun figlio e quando lo facevamo, spesso tardivamente, concepivamo l'accadimento fatidico entro la logica di una fornitura di servizi, di un lavoro impiegatizio, di prestazioni legate a un'economia dei beni immateriali.

Ci eravamo raccontati a lungo che divenire padri e madri avesse sostanzialmente a che fare con qualcosa di non sostanziale, che significasse aggiungere al nostro bilancio una nuova esperienza, mutare i nostri stili di vita e di consumo, cambiare le nostre mete di vacanze e le abitudini del weekend, operare un restyling delle nostre identità immaginarie. Così come ci eravamo illusi che assolvere le responsabilità nei confronti dei nostri figli si limitasse al compito piacevole e interessante di programmare la singolare traiettoria del loro corso nel mondo: quali indumenti avrebbero indossato, come avrebbero coltivato i loro talenti nel tempo libero, quali università avrebbero frequentato, quale professione avrebbero scelto. Ci eravamo convinti che il compito ben più sodo, e meno divertente, di coltivare la terra che li avrebbe nutriti e di produrre industriosamente i beni necessari alla loro sussistenza appartenesse oramai a un passato stentato e sepolto. Roba da Terzo mondo.

Ricordo che quella mattina, in calce a questa solitaria meditazione, mentre deponevo mia figlia addormentata nelle braccia di Watsana, la nostra tata filippina – braccia ben più salde delle mie –, sebbene avessi soltanto fatto ritorno da un breve giro in automobile in un'agiata, sicura e nemmeno tanto trafficata capitale economica del Nord Italia e del Sud Europa, ebbi la trionfante sensazione di aver condotto in salvo la mia bambina.

Demoni

Di lei lo eccita che lo chiami costantemente signore. *Yes Sir*. Qualunque cosa lui chieda, la risposta è sempre la stessa. *Yes Sir, yes Sir*. Qualunque frase lei dica, le rare volte in cui parla, si conclude sempre con quella clausola da subalterno nella gerarchia militare. *May I now clean the bathroom, Sir? Do you want me to iron your pants, Sir? Sir, can I go, Sir?* Faresti qualcosa per me? *Yes Sir*. Qualcosa per me in quanto uomo? *Yes Sir*. In quanto maschio? *What is it, Sir?* Mia moglie e io non andiamo d'accordo. *Yes Sir*.

Gli piace anche che non conosca la lingua, il silenzio obbligato dell'epiglottide monca lo fa sentire al muro muto d'Oriente, l'Oriente di nessun Occidente. Un luogo dove ci si abbandona a un desiderio senza nome, dove il nome non conta, dove il nome è quello di Filippo II, primo re di Spagna, re di Napoli e di Sardegna, diciottesimo re del Portogallo, quello che sopravvisse a Solimano il Magnifico, quello della Sacra Inquisizione, quello della battaglia di Lepanto e del disastro dell'Invincibile Armata, un re morto quattro secoli prima, suo è il nome dell'arcipelago delle Filippine, settemila isole consacrate a un re estinto quattrocento anni avanti, sue le terre fertili, le ampie coste, i ricchi giacimenti minerari, sua la natura vulcanica del suolo, il clima tropicale, il monsone che a maggio spira da sud-ovest e a novembre da nord-est, sua la biodiversità e l'endemismo, il tamarù di Mindoro e il tarsio di Bohol, i serpenti e i rapaci, suoi i coralli, le perle, i granchi, le ottocento diverse specie di orchidee, sue le diverse etnie, la povertà comune a tutte, sua la capitale Manila e i suoi undici milioni di abitanti. È per tutte queste ottime ragioni che lei non si nega. Fanno quattro secoli quest'anno che acconsente alle voglie di un re morto.

Lui dapprincipio non la prende. Per anni l'ha vista pulire la sua casa, entrare e uscire di sfuggita ai margini del suo campo visivo, apparire e sparire in un'orbita eccentrica soggetta alla legge ferrea della selezione ottica. Poi, quando ha cominciato a cullare sua figlia tra le braccia, finalmente l'ha guardata, l'ha vista vivere vite che non sono la sua, pulire in casa d'altri, allevare i figli d'altri, ora sbollire i mariti d'altri, e così la guarda lavorare per parecchi minuti con gesti a volte lenti a volte rapidi ma sempre costanti, attraverso quei movimenti sempre identici a se stessi vede il tempo breve dell'esistenza sottomettersi al lavorio dei millenni, mentre il suo volto, placidamente inespressivo, accompagna le mani con una ineffabile maschera e appaiono entrambi, volto e mani, solidali nell'accettazione di un posto marginale e provvisorio nel cosmo, le mani che odorano di detergenti, di tensioattivi per emulsionare lo sporco, di candeggianti per sbiancare, di polveri, di pastiglie e di solventi.

In seguito lui le si farà sotto mentre stira, mentre sfrega lo specchio, e lei si denuderà per semplice contatto, innescata da un'obbedienza muta anche quando prende la parola – *yes Sir, be gentle with me Sir, please Sir* –, prona a un'economia di rimesse. E chissà se lei pensa al figlio cresciuto con i vaglia postali nella provincia di Cagayan, all'emodialisi di suo fratello per la funzionalità renale compromessa dal diabete, all'ipoteca sul piccolo campo a terrazze, al suo riscatto, mentre geme della sproporzione tra le razze e lui, sedotto dalla condiscendenza, così infinitamente superiore al miraggio recente del sesso consenziente, lui, stregato dalle dolcezze della vita prima della rivoluzione, lui intanto si racconta che si tratta di quel po' di tenerezza a cui tutti, anche i brutti, anche i torvi, hanno diritto. Lei lo accoglie e tanto basta, lo culla e lo placa con i suoi gemiti come prima ha cullato e placato con le braccia i gemiti di sua figlia. Lui le scalcia nel ventre come un feto capace di erezione.

Quando hanno finito è sempre lei che ripulisce e rassetta, con gli stessi gesti con cui sgombera la tavola dalle briciole dei corn-flakes e dagli altri resti della prima colazione.

Le aerostazioni d'Occidente

Per il primo compleanno di Anita ci concedemmo una breve vacanza: tre notti e quattro giorni ad Amsterdam, weekend lungo. A essere onesti, né Giulia né io avevamo davvero voglia di farlo. Avremmo entrambi preferito marcire nelle aree golenali della nostra insonnia. Riscuoterci dagli infiniti torpori della crisi coniugale ci costava fatica, eppure lo facemmo. Del resto si sa: di questi tempi le coppie in crisi salgono sempre sulla scaletta di un qualche aeroplano. E allora anche Giulia e io ci caricammo in spalla le nostre sacche da viaggio, le nostre delusioni, nostra figlia, il suo passeggino studiato per un'azienda norvegese da un team di neuroscienziati allo scopo di enfatizzare il legame visivo bambino-genitore, e sotto quel fardello partimmo con un volo da Milano Malpensa. Ci muoveva la più commovente delle motivazioni: volevamo essere felici.

Tenemmo fede all'impegno. Sia Giulia che io eravamo già stati ad Amsterdam da ragazzi, quando ci si andava per il sesso, la droga, i tatuaggi e il rock and roll. Ci era parsa perciò un'idea sensata tornarci da genitori, da adulti responsabili che compiono una sorta di pellegrinaggio laico nei luoghi della propria giovinezza per congedarsi da essi senza rimpianti, dimostrando così a se stessi, se non al mondo, che armandosi di buona volontà si possono macinare migliaia di chilometri in viaggi di piacere senza alcun piacere.

113

Avendo rinunciato al piacere, eravamo dunque nella disposizione d'animo di farci andare a genio tutto. E lo facemmo. Ci dichiarammo contenti della nostra angusta cameretta nel boutique hotel prenotato via internet, ci dicemmo ammirati della civiltà di quel paese tanto civile da agevolare in ogni modo l'accesso sulla sua formidabile rete tranviaria ai genitori gravati da un passeggino, ce ne andammo a spasso beati tra i canali degli ex quartieri operai oggi fiorenti di negozietti alla moda e studi di design, ci divertimmo perfino a scarrozzare la nostra pupetta tra i vicoli sozzi del Red Light District, e trovammo buffo l'episodio della puttana seminuda in vetrina che mimava un pompino al padre intento a spingere il passeggino, accompagnando il gesto sconcio con il sorriso triste di chi formula una promessa destinata a non essere mantenuta.

Il secondo giorno io intrattenni Anita per due ore, fendendo la calca dei turisti nelle ampie sale del Van Gogh Museum, consentendo così a Giulia di sbirciare tra una selva di teste uno o due petali di un girasole dipinto da un uomo morto pazzo. Giulia ricambiò la cortesia quando fu il mio turno di pagare un tributo alla immensa fabbrica della Heineken.

Avemmo anche un memorabile pomeriggio di entusiasmo quando, di domenica, ci spingemmo fino al quartiere ebraico per visitare il giardino zoologico più antico d'Europa. Lì, inseguendo un magnifico pavone malese che la tolleranza geniale degli zoologi olandesi lasciava circolare libero al pari di ogni altra specie non pericolosa, nostra figlia mosse i suoi primi passi. Si "lasciò", come si suol dire, da qualche parte tra le vasche dei pinguini e la gabbia della pantera nera.

Eh, sì, bisogna ammetterlo: vedendo nostra figlia che per la prima volta assumeva la posizione eretta, caratteristica della specie umana ma indubbiamente simile a quella del pavone, e capendo che s'innalzava verso l'umano soltanto per razzolare su quel manto di ghiaietto in compagnia dei suoi amici animali, Giulia e io, dopo molto tempo, fummo di nuovo felici insieme.

Incoraggiato da questa ritrovata elegia quella notte, l'ultima della nostra vacanza, mi risolsi ad affrontare la questione. Avevo meditato a lungo una frase breve, semplice, sobria ed efficace, che potesse condurci direttamente al cuore del problema. Mi ci vollero però parecchi minuti di titubanze prima di trovare il coraggio per dirla. Nel frattempo, me ne stavo seduto contro lo schienale del letto in finto stile Luigi XVI, mentre fingevo di leggere un libro e gettavo occhiate fittizie alle applique in finto bronzo dorato e alla finta poltrona quadra con bracciolo a foglia. Accanto a me anche Giulia, dandomi le spalle, leggeva girata su un fianco nella sua abituale postura difensiva. Verso le undici e mezzo, dopo che Anita ebbe minacciato di svegliarsi con un gemito prolungato, mi decisi.

"È un anno, Giulia, ci pensi che è un anno?" dissi sottovoce.

Non appena ebbi pronunciato quella frase a lungo covata, mi resi conto che aveva parlato per me una canzone napoletana. Mi tornarono in mente i versi in cui l'innamorato respinto da un anno, l'amante impazzito, fa voto d'oro e d'argenti alla Madonna della Neve a patto che lei gli faccia passare "*'sta freve*". Io, al contrario, pregavo affinché la febbre tornasse.

Mentre attendevo in silenzio la riposta di Giulia, mi chiedevo se avesse capito che alludevo non all'età di nostra figlia ma a quella della nostra astinenza sessuale. Di lì a poco mi sarei accorto che non poteva esserci il benché minimo equivoco, e proprio per questo non avrei ottenuto alcuna risposta. Giulia, infatti, già dormiva. Opponendomi il sonno e la nuca, ribadiva il suo imperiale rifiuto del sesso. Del mio sesso.

Sì, il nostro errore, fin dal principio, era stato decisamente quello di voler essere felici. Al contrario, le generazioni che ci avevano preceduto non avevano mai sottoposto il matrimonio a quel genere d'ipoteca. La felicità a ogni costo ci aveva rovinati.

Il giorno seguente ripartimmo con un volo notturno. Eravamo affaticati e anche un po' angosciati all'idea che Anita potesse essere colta in volo da una delle sue crisi di pianto.

Sbrigato in fretta il check-in, trovammo una lunga coda al controllo bagagli. Giulia prese in braccio Anita, che per fortuna al momento dormiva, e io mi incaricai del resto. Consegnate affannosamente le nostre masserizie al cunicolo dei raggi infrarossi e varcato il metal detector, un addetto alla sicurezza mi chiese di aprire il bagaglio. Scavando nella sacca, andò a pescare una forbicina da unghie. Gliela cedetti senza troppi rimpianti. Poi, però, il funzionario in divisa grigia con le mostrine *orange* prelevò anche il flacone di acqua di colonia al legno di sandalo della Compagnia delle Indie Orientali che avevo comprato per mio padre. Per me quell'aroma era sempre stato il suo odore. Una manciata di dopobarba era l'unica svenevolezza che quell'uomo si fosse mai concesso. Provai a protestare. Il tizio non si spostò di un millimetro. Mi guardava con un'espressione tra il beffardo e il disgustato. Avresti dovuto imbarcare il bagaglio, coglione. Questo mi stava dicendo. Giulia intanto lì di fianco, la bambina in collo, perdeva la pazienza.

Va bene, avrei ricomprato il dopobarba a Milano. Feci per chiudere la valigia, ma l'agente di sicurezza mi diede di nuovo l'alt. Spingendo in avanti il mento, stava additando il biberon di Anita che portavo conficcato nella tasca della giacca, pronto alla bisogna. Ora, invertendo la direzione della testa, faceva segno di no scuotendola da destra a sinistra. Questa volta qualcosa dentro di me protestò con maggiore veemenza. Ma come, nemmeno il nutrimento per i figli era più possibile portare con sé in quel nostro viaggio? E che razza di viaggio sarebbe mai stato quello che non ammetteva nel nostro bagaglio il lattuccio caldo per i bambini, mi chiedevo profondamente turbato. Imprecai.

Impassibile, l'agente di sicurezza mi stava facendo segno di berlo. Arcuava le dita a cilindro, portava la mano con il biberon fantasma alla bocca, reclinava il capo all'indietro e dava dei rapidi colpi con il polso. Avrei dovuto ingurgitarne una profonda sorsata per dimostrare che il latte di Anita non era una miscela esplosiva. Mi guardai attorno sgomento. Vidi un'umanità vacanziera che, dopo aver affidato alla stiva qualsiasi oggetto serbasse anche un minimo potenziale contundente o tagliente, comprese le forbicine per le unghie, completamente disarmata imbustava in perfetto ordine con la mano destra tutti i profumi, le creme e i deodoranti in formato mignon, mentre con la sinistra reggeva i calzoni che calavano giù per i fianchi perché privati di cintura.

Giulia non era più all'orizzonte. Spazientita, doveva essersi avviata all'imbarco. Non sarebbe stata lei a bere al mio posto. Provai a figurarmi cosa avrebbe fatto mio padre nei miei panni. Non appena concepii quel pensiero, avvertii immediatamente una violenta onda di ribellione montare dentro di me: io, perdio, non bevevo più latte da almeno trent'anni!

Avrei dovuto svitare il tappo – poppare dal ciuccio sarebbe stato davvero troppo – e tracannare disgustato quel liquido denso e zuccherino. E sapevo che, mentre il latte mi avrebbe bagnato la gola, costringendomi a una palatale regressione infantile, nella mente dell'adulto non si sarebbero affollate le calde sensazioni dei perduti seni materni, bensì le sinistre allusioni di antichi e crudeli avvelenamenti. Sarei stata una cavia, un assaggiatore al servizio di una oramai tirannica divinità dei cieli. Dopo quella bevuta forzata, ogni volta che fossi montato su un aeroplano il cielo non sarebbe stato più lo stesso. Il sogno di libertà virile, la sovranità orbitale del turistico secolo americano erano andati a farsi fottere. Se librandoci nel cielo non potevamo allattare i nostri figli, se nemmeno quel basilare gesto accuditivo ci era più concesso mentre volavamo, questo poteva significare una cosa soltanto: non stavamo più partendo, eravamo arrivati. Non si era all'inizio, ma alla fine del viaggio.

E nemmeno sarebbero valse a niente le argute campagne di marketing scatenate dalle agenzie della perduta *joie de vivre* occidentale, nel tentativo di ripianare la forte perdita di vita sovrana

117

con la vecchia tattica del rilancio edonistico. Le case di bellezza avevano assecondato le nostre esigenze di viaggiatori minacciati, ma non per questo meno vanitosi, affinché potessimo portare in volo il nostro shampoo o il nostro *scrub* preferito. Avevano studiato mille soluzioni in bustine di plastica a norma e boccette da 100 ml: trousse da viaggio, minikit di sopravvivenza cosmetica, idee griffate per lui e per lei. Mentre decollavamo per Malindi o per Santo Domingo, avevamo a disposizione le versioni *travel* dei nostri cosmetici del cuore che non ci stavano, però, procurando alcun conforto. Ogni volta che qualcuno estraeva uno di quei miniflaconi, subito si propagava in tutta la fusoliera lo spettro di esplosioni e di schianti. Quando sei costretto ad abbandonare il biberon di tuo figlio, non ci sono lozioni o colluttori che tengano.

In quell'istante riuscii a dare finalmente un volto alla sfuggente ma costante mescola di fastidio e insoddisfazione che aveva accompagnato me e la mia generazione in tutti quegli anni. Ci eravamo illusi di poter vivere sotto un unico cielo tagliato a nostro uso e consumo, di poter spendere l'intera esistenza in comunità recintate, giungendo ai nostri parchi giochi prediletti attraverso corridoi del comfort, viaggiando entro spazi acquietati. Eravamo creature pigre e lascive, turisti della vita e del mondo, che per partire non avevano davvero bisogno di uscire. Ci eravamo raccontati di un'espansione infinita, di un godimento perenne, di una vita da trascorrere in giro per un mondo ridotto a un villaggio vacanze. Avevamo pensato di poter affidare la nostra identità agli stili di consumo e il futuro del pianeta a una banda di pubblicitari.

Avvertii il mio corpo esultare in un potente moto di stizza e gettai il biberon di mia figlia nello stesso cestino dei rifiuti al quale avevo già consegnato il dopobarba di mio padre. Mentre mi allontanavo affrettando il passo, mi voltai un'ultima volta a guardare i miei scarti. Immaginai le decine di migliaia di biberon abbandonati in un decennio, da Chicago a Parigi, in tutte le aerostazioni d'Occidente. Sentivo con chiarezza una stagione tramontare.

PARTE QUARTA

Il cacciatore nero

Gli anni passano, si sa. Passano in fretta, e anche questo si sa. Allora ditemi, vi prego, qualcosa che non sappiamo già. Ne ho un disperato bisogno perché io, quando mia figlia ancora non aveva compiuto due anni, ero già tornato a fare la vita che facevo da ragazzo.

Non di giorno, certo, quello no. Di giorno ottemperavo. Sì, è questo il verbo giusto. Di giorno sbrigavo un sacco di faccende, assolvevo una quantità di compiti diversi – professionali, paterni, materni –, ma qualsiasi cosa facessi stavo ottemperando. Obbedivo alla legge, mi adeguavo coscientemente a un obbligo, avevo ricevuto un ordine dalla vita e adempivo a esso. In tutte quelle mansioni diurne, però, mi regolavo secondo la volontà di un terzo. Che il terzo fossi io stesso, non faceva alcuna differenza. Vivevo in apnea, trattenendo il respiro, nell'attesa di santificare la festa.

Ma la notte, la notte no. La notte risvegliava in me tutte le voglie che avevo avuto da ragazzo. La notte ridiventavo un cacciatore nero. Mi imbrancavo con altri selvaggi, altri fanciulli come me, e battevo le montagne durante l'inverno, praticavo il furto, giocavo d'astuzia. Cacciavo solitario o in piccoli gruppi. Il mio terreno non erano la città o la campagna ma le zone di confine, i salienti avanzati di un'offensiva nemica e sconosciuta nel cuore della metropoli. Li pattugliavo tutt'intorno, vestito con il mio spolverino nero, la mia gabbana da carcerato, privato di ogni diritto, mischiato a taglialegna e pastori transumanti. Riassaporavo la vita agra con la gola e con il fegato, non sul palato. Svolgevo nuovamente, a quarant'anni, il mio servizio militare nei forti di frontiera.

Alle undici chiudevo la cucina, a mezzanotte il ristorante e all'una aprivo il bar. Il bar, poi, era dappertutto. Qualche volta la festa mobile stazionava per un po' proprio nei locali del ristorante. La sala sul retro, magnifica di eleganza anni Venti, di lacche e specchi ossidati, abitualmente riservata ai fumatori, si trasformava in una cantina messicana. Mi mettevo ai mixer e miscelavo cocktail famosi in tutto l'isolato e perfino oltre quei modesti confini. Quelle sessioni notturne erano frequentate da chiunque lo desiderasse: avventori che si trattenevano oltre l'orario di chiusura, ragazzi della brigata di cucina, vecchi amici divorziati, randagi, insonni, potenziali suicidi, uomini e donne partiti e tornati indietro.

Altre volte si usciva in strada. Si viaggiava leggeri, sempre con la medesima banda. Raccattavamo quel poco che la città aveva ancora in serbo per noi. Poco o niente, a dire il vero. Una tardiva bevuta all'Atomic di via Felice Casati, mentre una band di progressive rock attempata come noi eseguiva l'ultimo pezzo; un intruglio aromatizzato con fiori velenosi nei recessi umbratili e meravigliosi, frastornati da arredamenti esotici, del Notthingam Forest di viale Piave, giusto di fronte al convento dei frati cappuccini; o anche soltanto una corsa sui viali o un'ultima birra alla Carrozzeria, un nightclub di lapdance in via Rosolino Pilo popolato di spogliarelliste rumene, moldave e di qualche rara marocchina.

Ce ne stavamo lì, stravaccati sui divanetti, in attesa che una bambina disperata, abbandonata vent'anni prima da entrambi i genitori alla periferia di Bucarest o di Chisinau, venisse quasi nuda ad accoccolarsi sul nostro grembo e si facesse piluccare il collo e le cosce, disposta a lasciarci razzolare il suo corpo come animali da cortile, perfino disposta a fingere, ma svogliatamente, di accorgersi della nostra esistenza pur di estorcerci una bevuta di succo di frutta alla pesca sul cui prezzo avrebbe poi lucrato una percentuale modesta.

Perché lo facevamo? Per il calore umano, per il conforto di un'amicizia virile? Ne dubito: quei miei compagni di bevute accendevano in me il compassionevole disprezzo che soltanto i nostri simili ci sanno suscitare. Per l'eccitazione erotica? Nemmeno per idea: avrei trovato più eccitante il tocco del mio barbiere mentre mi faceva lo shampoo. No, a dire il vero, tanto il pathos quanto l'eros erano una copertura, maldestra e sempre la stessa. A spingerci era la frenesia di un ultimo giro di pista, un ultimo drink prima che il bar chiudesse. La solita vecchia storia: volevamo riguadagnare, prima di morire, un sentimento avventuroso della vita. Rivedere una volta ancora la nostra vera faccia, quella che di recente avevamo incontrato soltanto nel riflesso di uno specchio scrostato nella latrina di certe notti di esuberanze e sozzure. Quella faccia un po' ferina, magnanima e vorace, con quell'espressione aperta al mondo e a ciò che resta della sua avventura che dovettero rivolgere a un ultimo Occidente i cartografi di Magellano, o portare sciabolata in volto i generali cosacchi che cavalcando a Oriente diedero un impero agli zar di tutte le Russie. A noi, però, invece della steppa sconfinata, era toccato un nightclub in via Rosolino Pilo.

A questo punto, immagino che il lettore che mi ha seguito fin qui mi chiederà ciò che anche io mi chiedevo: come la mettiamo con tua moglie? Poi, probabilmente, vorrebbe sapere anche qualcosa di più preciso sui miei demoni sessuali, vorrebbe che dichiarassi apertamente se appartenevano alla realtà o alla fantasia. Ma sarebbe una domanda sbagliata, sbagliata e ingiusta. Sarebbe come chiedere se si ha fede nel diavolo. Il Medio Evo, però, purtroppo o per fortuna, per fortuna e purtroppo, è finito da un pezzo. Dobbiamo tenerci le nostre credenze sul sesso. Tutte, senza distinzione, senza discernimento. Da queste parti ciò che ha cominciato a vivere, qualunque cosa esso sia, animale o fantasma, resiste a lungo. Funziona così quando un popolo è vinto e i suoi dei caduti aleggiano come demoni notturni.

Il punto cruciale è invece un altro: perché ogni volta che ho desiderato un'altra donna o un'altra vita ho sentito di tradire non mia moglie ma mia figlia? Perché ogni congettura d'infedeltà ha investito sempre il padre e mai il marito? Perché la colpa di cui ho sofferto e di cui mi sono esaltato in quelle battute di caccia non è mai stata l'immoralità di un marito fedifrago ma, sempre, l'inciviltà di un papà rinnegato?

Ricordo che in certe notti di erranza mi era sufficiente immaginare per un solo istante Anita rannicchiata nella sua culla, perché le mie gambe automaticamente affrettassero il passo verso casa. Di fronte a lei, non a mia moglie, mi rassettavo la giacca e mi ravviavo i capelli. Questo, non altro, devo confessare. C'è qualcosa di storto in un uomo quando l'intero esercito delle sue debolezze viene passato in rassegna dagli occhi ignari di una bambina.

Grandi sollievi e tragedie minuscole

Stanotte il bar è aperto. Abbiamo degli ospiti d'onore: il gruppo delle quarantenni in carriera che ogni venerdì sera occupa il tavolo 12.

Prima di cedere alle loro lusinghe le ho osservate per mesi, queste donne in tailleur perfetti, sedute alla tavola circolare nel mezzo della sala a vociare di uomini. Le ho ammirate e temute ogni volta che, abbandonato l'antro vaporoso della cucina, verso le dieci sbrigavo il mio giro di cortesia tra i tavoli, ricevendo ogni volta l'invito ad accomodarmi. Mi attraevano, certo, queste quattro brillanti, spregiudicate e affamate single milanesi immerse nel loro gossip sboccato; in particolare mi solleticava quella alta e magra, probabilmente ex modella e ora pr di Armani, con i capelli biondi rasati a un dito dal cranio. Mi attraevano ma mi repellevano anche. Indubbiamente nella loro indubbia bellezza c'era qualcosa di crudele. Desiderarle equivaleva a essere sconfitti. Per questo motivo ho sempre rifiutato il loro invito. Fino a stasera.

"Lo chef, il maschio alfa al nostro tavolo, che emozione!" ha esclamato non appena mi sono seduto la mia prediletta, portandosi entrambe le mani sul punto del torace dove un tempo deve aver albergato il suo cuore. "Sappia però, grande chef, che qualunque maschio sieda a questo tavolo è un uomo oggetto," ha aggiunto subito dopo suscitando le risate di approvazione delle sue amiche. Aveva l'aria blasé di chi ha visto tutto e gli è piaciuto tutto ciò che ha visto.

Sono rimasto seduto con loro non più di dieci minuti. Mi sono bastati per verificare ciò che già si poteva intuire da lontano: la loro uva era avvelenata, il loro istrionismo disperato. La loro vita si era a lungo nutrita della crisi delle nostre certezze sentimentali, era germogliata come la gramigna sulle rovine dei nostri codici etici. Erano belle, queste donne padrone di se stesse, ma erano il resto di niente. Brillavano di una bellezza malinconica, autunnale, di congedo, di crepuscolo civile più che di scintillanza mondana. C'era in loro qualcosa che non cessava mai di dire addio, una tragedia minuscola ma indistruttibile come una pallina di mercurio. Ho perciò bevuto un bicchiere con loro, le ho guardate bere e poi mi sono alzato. Qualunque maschio sedesse a quel tavolo era un perfetto masochista, ho pensato tra me.

Ovviamente andarsene non è bastato. Due ore più tardi le signore hanno invaso il nostro bar, la nostra cantina messicana. Nessuna ironia ci avrebbe salvati.

E così adesso mi ritrovo a miscelare Cosmopolitan in omaggio alla serie televisiva su cui le nostre quattro ospiti si sono formate. Tengono banco proseguendo la loro chiacchiera micidiale in presenza di noi maschietti. È il loro modo di imperversare, di confinarci in uno stato di minorità mentale. Sono come un gruppo di adulti che parli liberamente, in loro presenza, dei problemi di crescita di bambini che tanto non possono capire.

"Diventare lesbica è stato il più grande sollievo della mia vita." Lo sta dicendo la pr di Armani che tanto mi piaceva. E l'aspetto più imbarazzante della vicenda è che, per la prima volta, pare sincera. "Siamo alla canna del gas," sentenzia tirando una profonda boccata dalla sua sigaretta senza filtro, come se volesse suicidarsi inalando nicotina. "I maschi hanno stabilito una sorta di confine nella vita della donna, intorno ai trentacinque anni," prosegue mimando con una mano ingioiellata quell'ingiusta linea divisoria.

"Dopo quell'età le donne etero sono fuori dal carnevale. Per le lesbiche, invece, è allora che comincia la fase più bella."

"Ma il maschio non ti manca?"

Lo ha esclamato Marietto, mio amico d'infanzia, sbandierando nel vuoto davanti a sé un avambraccio teso culminante nelle dita strette a pugno. Marietto ha quarantacinque anni, è pesantemente ubriaco ed è un fallito. Agente immobiliare in un franchising Tecnocasa della cinta suburbana, dorme da mesi sul divano di suo cugino perché la moglie lo ha buttato in strada, si è tenuta i tre bambini e lui, prelevati gli alimenti da uno stipendio medio che, dopo il crollo del mattone, arriva a stento a milletrecento euro mensili, non ha di che pagarsi nemmeno la pigione di un monolocale.

La pr di Armani lo travolge. Inizia a elencare in rapidissima successione tutti i modi e le occasioni in cui i maschi hanno mancato di farla godere. Fa nomi e cognomi. "Siamo seri, il cazzo è superato," conclude tracannando il fondo del bicchiere.

Marietto non ribatte. Se ne sta lì inerme con la pupilla opaca del pugile suonato. Il lesbismo di ripiego, partorito dalle inevitabili delusioni della vita, è una posizione dialettica inattaccabile. Ma ci sono vittorie che sanno di sconfitta, e sono le più amare.

Io non prendo parte alla tenzone. Rimango a osservare, shakerando vodka, Cointreau, lime e succo di mirtillo rosso. Mentre servo il cocktail e guarnisco la coppa, noto l'esibizione di disinvoltura dei miei amici di fronte allo spettacolo della loro degradazione a oggetto di consumo. Più li osservo e più me ne convinco: la studiata noncuranza con cui noi maschi defenestrati, dandoci un'incipriata di falso progressismo, ostentiamo indifferenza nei confronti della nostra riduzione a una cosa inanimata, trascinata dietro un carro nella polvere da queste nuove amazzoni, è sintomo di un disagio maligno. Un disagio tanto profondo da non poter nemmeno affiorare se non in impercettibili increspature di superficie o in devastanti eccessi di follia. Se un giorno Marietto si toglierà la vita rivolgendo contro di sé l'arma con cui ha assassinato la moglie, il mandante morale andrà ricercato in questa bella quarantenne con il cranio rasato.

L'unico uomo veramente saldo in questa stanza è Rashid, il mio lavapiatti cingalese. Non che la sua fermezza mi stupisca: ci sono momenti di enorme convulsione nella vita di una cucina, di solito collocati tra la fine del primo e l'inizio del secondo turno, nei quali tutti noi dipendiamo dalla sua flemma e dalla sua forza per poter continuare a friggere, rosolare e bollire. Sono gli attimi in cui tutte le padelle sono unte di grasso e tutti i tegami incrostati di burro. In quei momenti, subissato d'insulti, sprofondato sotto una pila di casseruole, Rashid non si perde mai d'animo e nel giro di pochi minuti rifornisce di attrezzi scintillanti i nostri fornelli.

È un tamil, Rashid, cresciuto nel Nord del paese, nelle foreste della guerriglia antigovernativa. Quando una volta gli chiesi quale fosse la sua massima aspirazione nella vita, mi rispose che ambiva a raggiungere la postazione delle insalate. Il giorno in cui gliene avessi dato l'opportunità, avrebbe comprato un biglietto aereo di andata e due di ritorno dallo Sri Lanka e sarebbe andato a prendere la moglie che la sua famiglia gli aveva dato in sposa sin da quando era bambina. Con lei Rashid avrebbe costruito la propria famiglia. Lui queste nostre donne le guarda con la fissità del felino messosi di punta a un passero, attende che commettano un errore. Ma per noialtri la flemma virile di Rashid è definitivamente perduta. A noi non resta che odiare, mentre queste nostre femmine innalzano l'amante del momento a strumento del proprio piacere per poi, subito dopo, lasciarlo ricadere allo stato di materia inerte.

"Tu, chef, non bevi un Cosmopolitan con noi?" mi chiede la bionda platinata, la più anziana del gruppo, che intanto mi si è seduta accanto.

"Io berrò un whisky," le rispondo, "gli uomini bevono whisky."

Non ho ancora finito di proferirlo e già so che questo ennesimo lazzo maschilista farà la fine di tutti quelli che lo hanno preceduto. La fine che merita, d'altronde. In questo istante il secolare disincanto del mondo culmina ai miei occhi nel capriccio di una bella milanese che, dopo un paio di cocktail al succo di mirtillo, sceglie chi scoparsi questo venerdì sera per poter poi spettegolare in ufficio con le colleghe il lunedì successivo.

"Hai mai provato con il *food design*?"

Me lo sta chiedendo la bionda che poco fa ho cercato di sgominare con il whisky. In un attimo di cedimento sentimentale le ho confessato le mie tribolazioni: ieri, per il secondo anno consecutivo, mi è stata negata la prima stella. Anche per l'edizione 2009 della guida Michelin rimango una promessa non mantenuta. Intanto, avendo mancato il salto di qualità, la clientela scema. Se non cresci declini. È questa oggi la legge della ristorazione. Della ristorazione e di ogni altra cosa.

"Il *food design* è la strada migliore per fondere il *food* con il *fashion*. Mica possiamo continuare a nutrirci mangiando la pasta nei piatti e infilzando i maccheroni con la forchetta come duecento anni fa."

Mi sta allungando un biglietto da visita. Sotto la tavola mi mette una mano sull'interno della coscia. Poi si alza e, ammiccando, si avvia verso la toilette delle signore.

Demoni

Avranno entrambi centodieci, centoventi battiti al minuto. Ma i loro corpi sono macchine e stanno sviluppando lavoro.

Quanto avrà metabolizzato la saliva, quanto i succhi gastrici e quelli pancreatici? Quanto cibo se ne sarà andato nei vasi linfatici, quanto nei capillari venosi, quanto andrà nelle feci di domani? Sì, hanno entrambi mangiato e bevuto troppo. Per questo il luogo giusto è il cesso. Per il ributto e per il sesso. Ma non è tutta crapula e vizio. È un fatto di cultura, un'arte, un rito, una religione. Bisogna pur saper degustare.

Forse lei, alzandosi dalla tavola, gli aveva rivolto un cenno d'intesa. Ma lui non ne era sicuro ed era rimasto a lungo a fissare con occhi ferini il telaio della porta scorrevole. È notte fonda e quella soglia è protetta anche di giorno. Mentre se lo ripeteva per la terza volta, era già dentro. A porta già spalancata, lei ancora fingeva di darsi il rossetto circonfusa dal kitsch onirico di Bisazza. Migliaia di tesserine di vetro composte a mosaico in miscele di sfumature cromatiche avvolgenti, il nuovo must nell'arredobagno del design evoluto, l'antica arte dei maestri vetrai esplosa in combinazioni deliranti. C'è anche la nuova linea Urban Safari: le pareti della tua casa mosaicate a pelle di giraffa, leopardo, zebra, pitone e coccodrillo, con spazi monomarca a Los Angeles, Hong Kong e Dubai. Questa è la scena. Si recita a soggetto, sempre lo stesso.

Vedendola fingere di darsi il rossetto mentre lui irrompeva in quel cesso cieco, due metri per due, con le pareti decorate a mosaici di vetro da centinaia di euro al metro, lui ha capito che l'inverosimile poteva accadere per il semplice fatto che era già accaduto. Doveva soltanto allungare la mano e prendere. Il buonsenso, la buona educazione sarebbero stati scardinati. La vertigine era a distanza di un gesto. Un passo ancora e la serietà della storia che, lenta e paziente, accumula giorno dopo giorno qualche onesto spicciolo d'esistenza, sarebbe stata sperperata in un'unica, ridicola puntata.

E allora lui allunga la mano e prende. Lei non dice nulla. Si dispone. Si puntella con le braccia al lavandino e incurva la schiena, mentre i tendini delle caviglie fremono per lo sforzo contro i talloni sollevati a undici centimetri da terra sui tacchi a spillo. È umana e al contempo animale, la postura della femmina. Non ha niente da opporre. La stazione è eretta eppure è prona.

"Mi farai almeno un po' male?" Questo è tutto ciò che la donna gli chiede ed è il solo momento in cui si volta. Formula la preghiera in modo gentile, poi torna a fissare lo specchio. Il maschio obbedisce di buon grado. Punta l'ano e spinge. Avverte il turgore della propria carne soffrire contro la base dell'osso sacro della femmina. Le cosce di lei tremano ma lui spinge, ancora lei non dice niente e allora, in quell'istante, una ferrea, interminabile catena di inclinazioni, giudizi, gusti, credenze, pensieri e omissioni viene disintegrata dalla pura azione.

Lui spinge. Come un'imbarcazione a motore, risale la corrente. Il corpo di lei oppone una resistenza naturale, fa attrito fin dall'inizio dei tempi. Dalla sua bocca promana, però, un incitamento gutturale. Non è una variazione del ritmo naturale del respiro che porta ossigeno nel sangue e, per il sangue, a tutto l'organismo, quella che adesso esala dalla bocca della donna. Non è un suono, ma rumore. La macchina, un telaio di ferro arrugginito, di pietra e di vetro, si è incardinata nel corpo piegato e sta lasciando uscire quel frastuono da dentro la cavità dove una volta c'era un essere vivente.

Lui persevera con la foga delle spinte. La afferra per i fianchi e la tira a sé. Mentre lo fa, si chiede cosa potrà lenire quel crepacuore. Si è mai pronunciata menzogna più spudorata di quella del piacere? Per rispondersi, allunga il collo sopra la spalla a scrutare il volto della donna. Le cerca il viso ma non vede niente. È sul punto di rinunciare, ma una mano minuscola, ingioiellata, lo trattiene. E allora ricomincia con l'ottusità delle spinte. Per quanti sforzi lui faccia, però, sembra che non ci sia verso di entrare. Si dice che non c'è una sola ragione al mondo perché la forza debba prevalere. Poi, a un tratto, il cedimento. Improvviso.

Quando giunge la fine è lui a essere annientato. Glielo conferma l'immagine del suo volto riflesso nello specchio, ora non più cieco ma sempre contornato di tesserine di vetro fluorescente. Da quel volto sembra scomparso ogni minimo centro di vita. Con l'ultimo fiato, chiude il coperchio sulla tazza e vi si accascia.

Lei non ne ha notizia. Lamenta la perdita dello Swarovski inghiottito dallo scarico del lavandino. Si dimostra capace del sommo disprezzo: compiange la distruzione degli oggetti, disinteressandosi della catastrofe di un altro essere umano.

Ninnananna partigiana

I figli crescono, crescono in fretta. Anche questo si sa. Ce lo ripete sospirando ogni sera la fornaia, mentre imbusta i soliti due sfilatini di farina integrale. Ciò che invece si tende a dimenticare è che, mentre loro crescono, noi moriamo.

"Babbo, ma poi torni?" Fu questa una delle primissime frasi che Anita imparò a comporre non appena s'impossessò del linguaggio verbale. La indirizzava a me – e a qualsiasi altra divinità minore del pantheon domestico – ogniqualvolta uscivo di casa, fosse anche solo per andare a gettare la spazzatura. E io, ogni volta, prima di rassicurarla riguardo al mio personale, infimo, eterno ritorno ("Certo Anita, il babbo torna sempre"), non potevo evitare di concedermi un attimo di esitazione. In quell'attimo, misuravo ogni volta la distanza che mi separava dalla fine. Pagavo il mio tributo al totem sanguinario del tempo. Ne ricevevo però in cambio la coscienza di me stesso e della mia sorte. "Babbo, ma poi torni?" Era sufficiente che Anita pronunciasse quelle parole perché anche l'andare a gettare la spazzatura diventasse il tassello di un destino.

Vi pare che stia esagerando? Niente affatto. E ve lo dimostro.

Vi siete mai chiesti perché tutte le occasioni che segnano il calendario nei primi anni di vita dei nostri figli, e tutti i pensieri rivolti al loro futuro, suscitano in noi un'irresistibile commozione? Semplice: perché noi in quel futuro non ci saremo. Ma fate attenzione: questa non è una pagina triste. Questa è la parte gloriosa, letteralmente gloriosa, di un'antica sapienza che giunge fino a noi trasmessa di figlio in padre.

Ricordo con gioia i pomeriggi in cui mi sedevo mia figlia sulle ginocchia perché lei m'insegnasse a morire. Certo, ero avvantaggiato dalla forte somiglianza tra me e Anita. Mia figlia aveva i miei stessi occhi, i miei grandi occhi neri, ardenti e un poco mesti. Su tutto il resto – il taglio del naso, l'ovale del volto, la piega delle labbra – si poteva pure discutere, ma l'eredità dello sguardo era una certezza incrollabile. Su questo punto non ero disposto a fare concessioni: quella creatura morbida e minuscola era me stesso, questo maschio quarantenne saturnino e polemico, collerico e generoso. Non se ne poteva dubitare, impossibile lasciarsi ingannare dal fatto che non avesse ancora compiuto due anni, che fosse femmina e i suoi lineamenti fossero ingentiliti dalla grazia della madre. E, credetemi sulla parola se non vi è mai capitato, una figlia femmina che somigli fortemente a suo padre è un dono meraviglioso del fato. Ancor più della donna amata, è l'immagine pura della morte. Un'autentica benedizione. Se poi in queste mie parole leggerete il sarcasmo o la malinconia, lasciatevelo dire, non avete capito proprio niente.

Io invece capivo benissimo quello che stavo facendo. Aspettavo che Anita si svegliasse dalla nanna del pomeriggio, le approntavo la merenda con un mandarino e un biscotto d'avena, poi, quando era sazia, fresca e riposata, me la sedevo sulle ginocchia e, mentre lei giocava a strapparmi i peli della barba, io la contemplavo.

Dapprima, com'è inscritto nell'ordine naturale delle cose, veniva il passato. All'inizio, infatti, mi specchiavo in lei. Rivedevo il bambino che avevo imparato a conoscere dalle fotografie scattate dai miei genitori. Ma poi veniva il futuro, la parte migliore. Guardavo mia figlia negli occhi – quegli occhi che erano i miei occhi – e vedevo il futuro: reggevo sulle ginocchia e tra le mani una sfera di cristallo.

Dopo poco, le lacrime mi salivano agli occhi e il groppo alla gola. Li ricacciavo indietro ma nella mia mente, entrata per un attimo in risonanza con il cosmo, mi abbandonavo dolcissimo al pianto. Piangevo per ciò che è ovvio: nel futuro di mia figlia e dei miei grandi occhi neri io non ci sarei stato. Mentre lei, con la sua mano di bambina, giocava a fingere di pungersi sulla mia barba che chiamava "pelliccia", io la vedevo crescere, divenire donna, andare per il mondo, viaggiare leggera nel tempo e lasciarmi indietro. Ero ancora vivo, ero il padre, ero l'animale che aveva ancora l'osso nel pene, eppure ero già morto. Del presente non c'era più nemmeno l'ombra. Presagivo il momento in cui il grande silenzio sarebbe sceso su di me e dappertutto. Eppure dicevo di sì con la testa. Venisse pure, la morte.

Al solo pensiero, quei momenti di luce ancora oggi mi scaldano il cuore.

I figli crescono in fretta e anche Anita divenne più grande. Verso i diciotto mesi di vita, incredibilmente, cominciò perfino a dormire la notte. Allora Giulia, Anita e io uscimmo tutti e tre dalle caverne. Tenendoci per mano, nel giro di poche settimane passammo dalla preistoria all'età moderna. Bastarono poche ore di sonno filato per far cessare lo scongiuro e la paura. Svanì il mondo magico dei lupi alle porte, l'ignoto si fece figura e la figura si mutò in canto. Nella melodia, nel metro e nella rima trovammo i nostri ragionevoli mezzi di conservazione. Anita acconsentiva infatti a sprofondare nel sonno, a patto che ad accompagnarla ci fossero la nostra mano sulla schiena e una reiterata ninnananna. L'oscurità era redenta, il mondo cominciava a cedere il proprio mistero. Eravamo fuori dall'isteria dell'inflessibile insonnia. Dall'isteria e dal mito.

Il mio personale problema era, però, che non sapevo cantare. Avevo la voce – calda, piena, baritonale – ma nessuna intonazione. Non mi era mai riuscito, fin da quando i maestri si ostinavano a educarmi alla musica nelle corali della scuola, di modulare i suoni. Possedevo un'unica nota bassa. Su qualunque spartito, quella prendevo e a quella mi attenevo. Scoprii inoltre di non aver mandato a memoria, nella mia intera vita, una sola canzone. Lo scoprii le prime volte in cui Anita acconsentì a che fossi io ad addormentarla invece della madre. Si coricava sulla pancia, si abbracciava all'orsacchiotto con le orecchie asimmetriche comprato da Imaginarium, lo stesso cui si stringono metà dei bambini di Milano, torceva il braccino all'indietro indicando il punto della schiena su cui avrei dovuto posare la mia mano taumaturgica, poi biascicava attraverso il ciucciotto rivendicando il suo diritto alla ninnananna. Io, allora, mi ritrovavo muto.

Rovistavo affannosamente nella memoria, ma vi pescavo soltanto rimasugli della new wave anni Ottanta e monconi di liriche pensose dei cantautori della scuola bolognese. Impresentabili entrambi. Provavo allora con il repertorio napoletano, ma era troppo difficile. Mi dicevo che avrei dovuto rivolgermi al nonno Antonio, il padre di Giulia, lui sì che conosceva tutte le canzoni. Ma un assurdo senso di rivalità con quell'uomo, che non apparteneva alla mia stirpe e mi contendeva con il suo vasto repertorio melodico l'affetto di mia figlia, m'impediva di farlo.

Superai l'empasse una sera di dicembre, dopo cena. Seguendo il filo di questi ragionamenti, trovai la mia strada. Anzi, sarebbe più esatto dire che la ritrovai. La chiave era l'altro nonno, il nonno Alcide, quello del mio ramo, quello che non si sarebbe mai sognato di cantarmi una ninnananna. Ciononostante, me ne accorsi solo in quel momento, un paio di canzoni me le aveva pur lasciate.

La prima volta che attinsi a mio padre per addormentare mia figlia, me ne vergognai. Lo ricordo con esattezza. Più che un profanatore, uno che bestemmia in chiesa, mi sentii un ipocrita, un sepolcro imbiancato, uno che recita l'Atto di dolore senza avere fede, conscio del proprio peccato e del fatto ineluttabile che lo commetterà ancora. Ma funzionò e da allora quella divenne la nostra ninnananna, mia e di Anita. Notte dopo notte fu il mio personale viatico per il suo sonno, sebbene si trattasse di un canto mattutino, un canto di risveglio.

Una mattina mi son svegliato, o bella ciao, bella ciao, bella ciao, ciao, ciaoooo...

Tenevo la mano aperta sulla schiena di mia figlia, il braccio destro proteso attraverso le sbarre lignee della culla, quel braccio che in vite remote aveva retto l'arma, e cantavo di gola e di pancia.

Una mattinaaa mi son svegliatooo e ho trovato l'invasor...

Non sussurravo le strofe, no. La mia voce echeggiava bassa e forte, profonda e terragna, quel canto di guerra nel buio di una stanza odorosa di crema emolliente.

O partigianooo, portami viaaa, o bella ciao, bella ciao, bella ciao, ciao, ciaooo... O partigianooo, portami viaaa, che mi sento di morir...

Cantavo con grandissimo gusto. Soltanto allora mi accorgevo di quanto avessi desiderato farlo per tutta una vita. Me lo ero sempre proibito, io, Glauco Revelli, lo stonato. E adesso, per farlo, era sufficiente aprire la bocca, avere nel petto un paio di polmoni e volerlo fare. E io lo volevo. Avrei cantato per te, Anita, magari avrei stonato un po', ma avrei cantato.

E se io muiooo da partigianooo...

Sì, l'ho pensato anche io che ci voleva un pazzo per cantare a ninnananna quelle canzoni di morte a una bambina che da poco aveva cominciato a parlare. Poi, però, la bambina le imparò presto a memoria, e sentendole ripetere quei versi con lo stesso gioioso, ignaro candore con cui intonava, anche lei senza beccare una sola nota, *Stella stellina* o *Tre elefanti con le ghette*, capii che la morte, anche la morte, è soltanto una parola come un'altra.

E così l'ultima strofa, quella la cantavo tre volte.

È questo il fioreee del partigianooo morto per la libertà. È questo il fioreee del partigianooo... È questo il fioreee...

La terza volta Anita si addormentava.

E io che avevo fatto il servizio civile, io che appartenevo a una generazione per cui la guerra era stata una serata trascorsa sul divano a guardare la televisione, ascoltando il respiro placido e regolare di mia figlia abbandonata nel sonno, quel respiro che è il respiro del mondo, io finalmente mi davo pace e non mi sentivo più un usurpatore. Nessun eroismo mi era toccato in sorte, nessuna vera viltà, eppure anche io in quel momento ero un padre. Mi pareva anzi di capire che, in ultima istanza, proprio di questo si trattava, proprio quella posta minuscola e preziosa era in gioco nella paternità. Riuscire almeno una volta, a dispetto di tutto, a intonare un canto di vite altrui, di lotte e resistenze combattute da un'umanità straniera, sopravvissuta e trasmessa alla posterità grazie alla canzone non tua che tu, però, canti con un cuore casto e un filo di voce. Questa è la tradizione, questo il succo di tutta la faccenda. La vita non tua, la vita prestata che però tu trasmetti in prima persona, tu che per un istante t'insedi nel luogo delle risonanze, ti fai diapason, albero, ramo e foglia perché il vento fischi, passandoti attraverso, la vita di tua figlia che s'infutura lasciandoti indietro.

In quei momenti, in quel silenzio perfetto, silenzio a due rotto dal suo fiato e dal mio, il mio etereo, evanescente, e il suo radicale, pesante, riuscivo a udire la voce che parla dal fondo del tempo e ti dà ardimento, dà anche a te che non sei niente lo stesso coraggio che diede ai partigiani sulla montagna.

La voce dice avanti, non sei solo, non sei il primo, non sei l'unico, ma stai in un'immensa schiera che marcia. Non sei l'ultimo, soprattutto questo dice la voce.

Equinozio di primavera

Anita compì due anni il 21 marzo del 2010. In quel momento il sole si trovava perpendicolare all'Equatore, le notti erano uguali ai giorni e le cose tra me e Giulia parevano migliorare un poco. Si trattava però di una falsa primavera.

Come al solito noi facevamo del nostro meglio, ma come al solito il nostro meglio non bastava. Giulia era indubbiamente una brava madre, non avrei potuto rimproverarle niente su quel versante. Per parte mia, io facevo ogni sforzo per essere un buon padre, senza mai mancare di rimproverarmi ogni minimo fallimento. Insomma, presi singolarmente ce la cavavamo niente male, ma era la visione d'insieme che non quadrava.

La depressione post-parto gravava su di noi come la tara ereditaria, il vizio d'origine di una casata maledetta. Anche ora che quel periodo era trascorso da un pezzo, il suo pronunciamento non smetteva di perseguitarci.

Durante tutto il primo anno, non appena Giulia aveva cominciato a rimettersi dalla prostrazione fisica e psichica in cui il parto l'aveva precipitata, aveva riversato buona parte delle sue energie ritrovate nell'ossessiva indagine intellettuale della propria condizione di madre depressa. Lo faceva con l'accanimento di chi ritenga di aver subito un torto. C'era per quello tutta una lista di risarcimenti: medicinali, laboratori di ricerca che li sintetizzavano, équipe di scienziati che li perfezionavano, l'orgoglio di contribuire all'avanzamento della scienza, plessi ospedalieri finanziati grazie alla tua esistenza, la buona coscienza di essere voce attiva in un bilancio; e poi psicoterapie individuali e di gruppo, analitiche e comportamentali, la soddisfazione di essere ascoltati da guru, santoni, blogger, maestri prodighi di insegnamenti della cui saggezza tu eri la controprova vivente. C'era, infine, la lusinga di essere iniziati a conoscenze esoteriche, il solletico dell'appartenenza settaria: numeri monografici di riviste, interi scaffali di biblioteche, la tua casistica nelle bibliografie, la tua casella nelle tassonomie e, sopra ogni altra cosa, leghe nazionali e internazionali che univano individui simili a te, associazioni di tuoi pari, lo spirito di gruppo, la rassicurazione che ci viene dalla sanzione ufficiale della nostra esistenza, l'importanza che ci deriva dal soffrire del disturbo del nostro tempo.

Tutto questo universo lavorava segretamente contro di me. Io non solo ne ero escluso ma ero, rispetto a esso, lo straniero. Il fatto di essermi colpevolmente estraniato dalla sofferenza psichica di mia moglie nei mesi successivi al parto mi aveva trasformato, da marito e potenziale alleato, nella controparte. Che si dicesse o si tacesse, era a me che tutto veniva imputato. La tenacia con cui Giulia rivendicava, quasi con orgoglio, la sua depressione postparto sembrava essere la nuova frontiera del femminismo militante. Anche quando, in seguito, questa fase rivendicativa fu superata, rimase tra noi la sua ombra. Insomma, ci eravamo guastati.

Forse, però, la verità è molto più semplice e meno di parte. Semplicemente, durante quei mesi di sofferenza Giulia se n'era andata. E io l'avevo lasciata andare. È questa una delle verità più amare riguardo alle relazioni umane: se le persone le lasci andare, loro se ne vanno.

A ogni buon conto, qualunque fosse il finale che il futuro teneva in serbo per noi, al momento del secondo compleanno di nostra figlia l'equinozio di primavera ci regalava l'illusione di una seconda chance e noi facevamo del nostro meglio per non farcela sfuggire.

Decidemmo perciò che avremmo festeggiato concedendoci una serata tutta per noi. Affidammo la pupetta ai nonni materni e prenotammo un tavolo al nuovo ristorante che Moreno Cedroni aveva aperto nell'hotel di lusso della Maison Moschino in viale Monte Grappa. Fui io a proporre di andare lì, sedotto dalle sirene della fusione tra *food* e *fashion* e dal miraggio sempre più remoto della mia prima stella. Avrei avuto modo di pentirmene.

L'edificio in stile neoclassico che a metà Ottocento ospitava la stazione dei treni diretti a Monza si trova oggi sulla linea di confine tra il chiasso della movida notturna milanese, alimentata dal fastfood della cocaina venduta in strada dai maghrebini, e un lungo imbuto buio di uffici spopolati all'ora di cena.

La sera in cui Giulia e io vi festeggiammo il compleanno di nostra figlia, il ristorante era quasi deserto. Deserto e vuoto. Deserto perché carissimo e vuoto per scelta stilistica. Non vi figurava infatti nessuno dei tanti oggetti o arredi che abitualmente animano i luoghi del cibo. A cominciare dalle saliere, ovviamente. Ma l'evacuazione non si era fermata alle saliere: non vi era una sola porzione di materia commestibile in tutto l'ambiente. Non dico un prosciutto appeso al soffitto ma nemmeno un panino, un'oliera o una bottiglia di vino. Non c'era cibo e doveva non esserci mai stato. La tinta bianco ghiaccio delle pareti disadorne sembrava voler cancellare qualsiasi traccia di cibo mai eventualmente transitato tra quei muri. Se qualcuno ci avesse rinchiusi lì dentro, sbarrando la porta della cucina, al quarto giorno saremmo morti di fame.

Tutto il décor del locale era, del resto, all'insegna di citazioni della casa di moda che lo griffava. Sulle pareti, appesi a delle grucce, campeggiavano una serie di abiti e cappotti rigorosamente grigi o neri disegnati dagli stilisti della Maison. L'effetto, perdonate l'iperbole, era da museo dell'Olocausto. Guardavi quelle macchie di tessuto scuro stagliarsi contro il gelo asettico delle pareti e ti chiedevi come e quando fossero stati inceneriti gli esseri umani che li avevano indossati.

Un attimo dopo aver messo piede nel locale, mi ero già pentito. Prezzi stellari, ambiente siderale, atmosfera mortuaria. Ci accolse un maître con il fisico da fantino, un cardigan beige all'ultima moda e l'aria di non aver mai ingerito cibo in vita sua. Ci suggerì di ordinare un menù da otto portate che seguiva il filo conduttore di un viaggio floreale, un'incantevole narrazione di sapori che partiva dagli aromi più delicati per aprirsi alle fragranze più dense. Il profumo avrebbe dominato su tutto, ci istruì rivolgendosi a Giulia che, in quanto femmina, secondo lui era dalla parte dei fiori. Non avevamo nulla da temere, ci rassicurò. Non saremmo usciti satolli, avremmo imparato a cenare col naso.

Si cominciò con un imbevibile mojito ai petali di rosa, poi si proseguì su quella falsariga. Nel momento culminante di una rapida sequenza di micropietanze, Giulia e io ci trovammo a sciogliere da un involucro di plastica una forchetta di spaghetti con l'unico scopo di liberare una zaffata nauseabonda d'essenza d'orchidea. Pochi minuti prima eravamo stati costretti a far scoppiare delle bolle di sapone, poste a contorno di una cozza gigante dell'Atlantico, così da sprigionare gas narcotici di non so più quale essenza floreale.

In tutto questo, la conversazione era stata letteralmente impossibile. L'unico a parlare era il maître anoressico che, puntuale come la cartella delle tasse, accompagnava ogni portata con una litania concettuale e ampollosa con la quale ci prescriveva di compiere gesti secondo un ordine prestabilito, ci mortificava con una inarrivabile lezione intellettuale sulle sensazioni che il nostro palato era obbligato a farci esperire e, soprattutto, ci ammoniva implicitamente di non disturbare l'estetica del suo ristorante. Il pasto era stato trasformato in evento. Il cibo si era staccato da noi e ci si era messo contro. L'atto sovrano del mangiare e del bere era stato confinato ai ricordi d'infanzia.

Le prime sei portate mi fecero progressivamente infuriare. Poi, però, giunti al dessert, fui quasi grato a Cedroni e a Moschino per quella cena demenziale. Quell'esperienza di formidabile depriva-zione cui ci avevano sottoposto nella nostra serata tutta per noi aveva sortito l'effetto paradossale di un riavvicinamento insperato tra me e mia moglie. Già mentre scoppiavamo le bolle agli effluvi tropicali, avevo notato nel suo sguardo una nota di compassione. Ora che mi si chiedeva di intingere le dita in una coppa di burro d'arachidi fuso e guarnito con viole del pensiero, Giulia trasgredì l'etichetta e mi allungò una carezza.

L'ossigeno cominciava a scarseggiare nella regione di mondo dov'eravamo incautamente finiti nella nostra serata di libera usci-ta. Intorno a noi la vita veniva venduta alla merce. Noi, però, ci volevamo bene. Forse non ce l'avremmo fatta, ma ci volevamo bene.

Notti bianche

Non credete a chi vi dice che i letti matrimoniali sono letti di passioni spente. Al contrario, le esistenze coniugali sono colme di struggimento e il loro teatro è proprio il talamo nuziale.

E cosa c'è di più bello, direte voi, di questo infinito desiderare, del desiderio di desiderio che si riscalda al focolare domestico? Il guaio, nel mio caso che è il caso di molti, forse addirittura di tutti, è che lo struggimento, l'anelito umano verso qualcosa di mai attinto, la nostalgia dolente per ciò che non si è mai vissuto, per ciò che ha avuto il buonsenso, il buongusto, la buona creanza di non venire mai al mondo, si avviticchiava al corpo di mia moglie. Il corpo più risaputo, più consueto, più scontato dopo il mio, ritornato a me ammantato della maestà del parto di nostra figlia che me lo aveva, però, reso straniero.

E allora guardatemi mentre mi struggo, in una qualsiasi delle mie tante notti bianche, con l'ardore disperato di chi tenti di gettare un ponte sull'infinito nella speranza di superare, guadagnando centimetro dopo centimetro, il mezzo metro di materasso che mi separa dal corpo di Giulia. In un primo momento tento sempre con la voce, con il suo primordiale incantesimo.

"Dormi?" Nessuna risposta.

Che finga o meno, la sentenza è la stessa. Ma io non mi rassegno e allora striscio. Mi rannicchio. Mi accuccio di fianco. Mi racconto che mi appagherò del contatto e, nell'atto di farlo, già so che sto mentendo. La pelle è un tormento, la pelle nuda è la nostra prigione, il contatto è il più crudele degli inganni.

Le notti peggiori sono quelle in cui Giulia, stentatamente, si presta. Fa spazio ma poco, mi cinge ma con un braccio soltanto. In quelle notti la copula è un furto. Sono le notti in cui si sperimenta l'estensione incontrollata, ingiusta e sleale della violenza sessuale a qualsiasi comportamento maschile, fosse anche lo struggimento di un marito innamorato. Per effetto di una svogliata condiscendenza, in quei momenti il maschio diviene una malattia. Meglio, molto meglio, quando Giulia continua a dormire, quando si ostina nel sonno, reale o fittizio che sia. In quelle notti la mia solitudine è perfetta, la mia pena vinificata in purezza.

Allora mi faccio sotto fino a mettermi sopra, sormontando un gomito o un'anca. Spoglio faticosamente piccoli lacerti di corpo, miei e altrui, e mi preparo a maledire la pelle, sempre quella, la membrana inerte, la soglia. Che Giulia sia distesa sulla pancia o sulla schiena, io la sormonto. Non posso farne a meno. Sono un insetto biblico, un animale del Levitico, avanzo sul posto con movimenti desultori, striscio discontinuo come un invertebrato, le mie estremità sono ottuse, la mia cuticola non è più fatta di materia vivente, striscio e gemo, paio un caimano che si avviti con il corpo scaglioso nella melma priva di ossigeno per raggiungere di soppiatto l'acqua chiara di un fiume australiano.

Soprattutto sfrego. Contro un inguine, contro un osso, in una qualsiasi giuntura o piega del corpo, io sfrego. Sono un primitivo, un neanderthaliano. Cerco di accendere il fuoco con un legnetto secco, strofinando due frammenti di selce. Ma è un fuoco che avrebbe bisogno di ben altro innesco. E allora rinculo, m'inceppo, mi alzo, fumo, ritento, m'infurio. Maledico e mi maledico. A volte protesto apertamente. Questo, però, di rado. Nella maggior parte dei casi mi ritiro in buon ordine sulla mia sponda e mi do del cretino.

Perché ostinarsi? mi chiedo. Perché l'amore, mi rispondo, è l'ultimo dei cieli che ci sono crollati sul capo. La sua idea romantica grava su di noi con il peso di una condanna a vita. Nel vuoto quieto e assoluto della stanza, il mio corpo irradia il proprio desiderio frustrato di fondersi con quello di mia moglie, con il suo spirito e con la sua carne. Sente di averne il dovere e il diritto, con la ragione e con il sentimento, ma quell'idea ottocentesca è morta al mondo e, sopravvissuta in cattività in qualche angolo della mia testa, la rode da dentro.

Sono prigioniero dell'ideologia del sesso. Come tutti, del resto. Per questo motivo non accetto la tregua senz'armi propostami dal sonno autoindotto di mia moglie. Ma non è solo colpa mia. È una lunga storia: in qualche momento del secolo scorso, rimosse le macerie dell'ennesima guerra, non avendo più nessuna calamità a tenerci impegnati, in un pomeriggio di noia abbiamo spostato sul sesso l'intera posta metafisica che il secolo precedente, quello romantico, aveva giocato sull'amore, ultima religione dell'Occidente. Non è stata una mossa vincente. Si rischia di perdere su entrambi i tavoli e di alzarsi, a fine serata, a mani vuote.

E dunque guardatemi ora, mentre mi aggiro smaniando per casa nel cuore della notte, mentre esco a fumare sul balcone in pigiama. Mi sto rendendo conto che ogni ragionevolezza, ogni malinconico ménage coniugale ben temperato dalla rinuncia e dall'adulterio, mi è precluso.

Ci siamo spinti troppo oltre con questa scemenza. Abbiamo eretto ovunque templi votivi alle divinità acefale del sesso. Le nostre città ne sono disseminate, le nostre campagne pure. In società non si parla d'altro. Basta accostare l'orecchio alle conversazioni da bar o alle chiacchiere televisive e si sentiranno sgranare interminabili rosari agli dei della scopata. L'aspettativa è enorme, il culto fervente, la pratica ovunque. Dalla copula tra i corpi degli amanti ci attendiamo rivelazioni sconvolgenti, dalla compenetrazione tra gli organi sessuali ci aspettiamo l'illuminazione riguardo al senso delle nostre vite. C'è bisogno di aggiungere che rimarremo delusi?

Mia moglie dorme, mia figlia dorme, dorme tutto il maledetto condominio e io solo, in pigiama sul balcone, accendo un'altra sigaretta e mi consolo pensando che i veri romantici siamo noi, uomini di questo prosaico, lubrico ventunesimo secolo. Siamo noi che ci inchiniamo al sesso, che ci votiamo a esso ma preghiamo l'amore, noi che ci diamo in pegno al piacere dei sensi ma speriamo nel Regno, siamo solo noi che davvero ci illudiamo di incontrare lo spirito nella carne, noi fanatici del sesso e della sua minuscola apocalisse. Come in preda ai postumi di una sbornia sessuale, caduto in ginocchio e avvicinata prudentemente la testa alla tazza del cesso, il nostro tempo ha vomitato la sua anima romantica. La confusione tra amore e sesso è stata la patetica e maleodorante sboccatura di questa crisi di rigetto.

E allora ecco che d'un tratto mi pare di non poter più vivere senza quella madornale mitologia sessuale. Invece di tornarmene a letto e mettermi a dormire che domani si va a faticare, mi rintano nello studiolo e accendo il computer. Ora tutta la mia esistenza pregressa mi appare come un lento, infruttuoso apprendistato che mi ha condotto questa notte in questa cameretta, sotto il tetto coniugale, alla maturità virile di chi è finalmente pronto per la pornografia. E così mi tuffo nella vastità incommensurabile di Youporn.

Ma nemmeno adesso sono arrivato alla mia destinazione. Conosco anzi una nuova iperbole della mia irrequietezza. Non è fatto, questo formidabile strumento della pornografia di massa, per generare appagamento, ma per suscitare il demone della conoscenza. E così scorro senza sosta le centinaia di sottocategorie proposte alla libido dell'utente da questa enciclopedia del sesso a distanza, compulso come un pazzo le *preview* delle migliaia di scene offerte gratuitamente, non mi soffermo su nessuna per più di una manciata di secondi. Non mi eccito, non godo, non consumo il mio piacere. Consumo me stesso in una navigazione tendenzialmente infinita.

Vagabondo, insonne ed esausto, da un frammento all'altro. Sono alla ricerca di qualcosa, non di Dio né di me stesso ma della mia scena primaria, della fantasia erotica definitiva. Vago tra esseri giganteschi, anatomie madornali, tra centauri, lapiti, satiri e baccanti. Mia moglie, il suo corpo intatto, consueto, non goduto, distano da me soltanto una stanza, pochi metri di corridoio di un appartamento modesto, eppure sento che per tornare a lei dovrò navigare per sempre in quell'oceano d'immagini pornografiche. Nemmeno quel mare mi promette alcun autentico godimento, nessuna resa dei conti, nessun ritorno.

Mentre alle tre del mattino, sfinito, m'infilo di nuovo a letto, provo una leggera pena per me stesso, temperata da un sentimento stoico del mondo. Mi dico che sì, siamo indubbiamente patetici con le nostre pillole di Viagra e le nostre rubriche di posta del cuore, i nostri struggimenti coniugali e i nostri siti porno. Eppure dobbiamo perseverare nella contraddizione. In tutta onestà, dobbiamo riconoscere che c'è anche qualcosa di eroico in questa buffa guerra civile contro noi stessi. Dobbiamo tenere duro, non possiamo arrenderci.

Se infatti, sciaguratamente, dovessimo un giorno davvero concludere che l'amore vive solo in un immaginario scaduto, quell'amore che è stata la principale aspirazione dell'uomo da un paio di secoli a questa parte, allora dovremmo tristemente ammettere che tutte le cose importanti della vita accadono nell'astrazione di filmetti sentimentali, romanzi rosa e sceneggiati televisivi, mentre la nostra concreta esistenza quotidiana rimarrebbe consegnata alla più completa insignificanza.

Non sia mai. Stringiamo i denti e andiamo avanti.

Il settimo giorno della creazione

I giardini pubblici Sergio Ramelli erano talmente piccoli che le mappe neppure li registravano. Nemmeno *Tuttocittà*. Nemmeno la tavola topografica numero 29 gli dedicava una macchiolina verde tra via Pinturicchio e via Bronzino. Forse coprivano un ettaro, forse mezzo, forse soltanto un'ara. Tanto, oramai, nessuno sapeva più misurarlo un lembo di terra. Forse neanche esiste questo posto, mi dicevo talvolta mentre varcavo il cancello d'ingresso, con Anita sulle spalle intenta a rovistarmi tra i capelli.

Quel minuscolo lacerto di verde sembrava strappato al ventre cementizio della città. Come un brandello di carne gettato a cani e bambini, giaceva tra quattro muraglie di palazzi. Una dozzina d'alberi, due ritagli di prato, otto panchine, qualche altalena, due cancellate e un recinto. Dal lato di via Bronzino i bambini, da quello di via Pinturicchio i cani. Tutti, animali e umani, si affollavano nel loro metro quadro di terra verde, nel loculo che la città riservava ai loro giochi; tutti, animali e umani, si accalcavano nella loro angusta libertà, nella loro ora d'aria. I cani, però, erano più numerosi. Un tempo si diceva: chi non ha testa ha gambe. Ora si diceva: chi non ha figli ha cani. E dalle nostre parti, oramai, i figli erano un lusso dello spirito più che un'ovvietà della natura. Quasi nessuno poteva più permetterseli: a Milano, il tasso medio di figli tra le madri italiane era di 1,19, quando il tasso di riproduzione della specie era pari al 2 per cento. Mancavano ben 0,81 punti percentuali a scongiurare l'estinzione.

Ma non c'erano solo i cani e i bambini ai giardini Sergio Ramelli. C'erano anche i vecchi. Giacevano catatonici sulle panchine, affiancati da silenti badanti rumene, ucraine o lituane. Massicce donne forzute guardavano a vista anziani signori fragili, resi rachitici dall'età e muti dall'abbandono della propria gente. Cosa mai potranno raccontare i nostri vecchi padri, mi chiedevo, dal fondo del loro sfinimento, a queste donne erculee che si guadagnano la sopravvivenza a forza di braccia, giorno dopo giorno? Nessuna lingua li accomuna.

Poco più in là rispetto ai vecchi, in fondo alle traiettorie scalene dei loro occhi lacrimosi, cisposi e vuoti, altre badanti – filippine, polacche, peruviane – assistevano i bambini. Le rare madri italiane tallonavano passo dopo passo piccole creature ipercinetiche, indomite e intrattabili. Avevano, quelle madri, la pelle secca e gli occhi arrossati dall'ansia di un mestiere che non sapevano più fare perché ne facevano già troppi. Poco più in là, su un cippo minuscolo e brutto come tutto il resto, una lapide ricordava un ragazzo ucciso a sprangate più di trent'anni prima all'angolo tra le vie Amadeo e Paladino. Ai tempi in cui i fascisti ancora ammazzavano i comunisti e viceversa.

I pochi padri che affiancavano quelle madri affannate – o che le sostituivano, come nel mio caso – avevano il fiato ancora più grosso. Alcuni di loro, me compreso, ci mettevano pure tutta la loro buona volontà, ma arrancavano. Il gioco in pubblico con i loro bambini li costringeva a prestazioni atletiche fuori tempo massimo, a sforzi motori che li ridicolizzavano. Me compreso, ovviamente.

Quando la palla rotolava lontano, ero sempre io quello sorteggiato dal caso per andarla a riprendere. Non c'era verso che la piccola Anita si prestasse. Mentre inseguivo la palla nella sua corsa centrifuga, gettavo un'occhiata malinconica e complice ai cani da riporto che, lì accanto, eseguivano con gioia istintiva il mio medesimo compito nel recinto loro assegnato. Su questo versante del recinto, invece, l'affanno era diventato il ritmo naturale del respiro da quando i nostri figli, anche a tre anni, anche a due, erano ben oltre il nostro comando. Sì, i tempi stavano proprio cambiando.

Ce ne stavamo lì, padri e madri di questo nuovo millennio, arenati nella golena di una storia non nostra, e intanto il sole tramontava sull'avanguardia di un esercito di centinaia di migliaia di straniere che si curavano di vecchi non loro, di malati non loro, di figli non loro. In quegli accudimenti mercenari il *welfare state* si era silenziosamente privatizzato. Chi poteva pagava. Chi poteva se ne metteva una in casa, di quelle donne venute da est, da sud, dal Terzo o dal Quarto mondo. Perché tanto lo si sapeva: lo stato era sparito, la società si era dissolta, la famiglia era data in *outsourcing*. Il sole tramontava sul parco giochi di un popolo che aveva dimenticato le cose prime, le cose ultime. Le aveva rinchiuse in un lacerto di verde strappato al ventre cementizio della città. E non aveva più una lingua per dirle.

E così – rimuginavo mentre Anita si ostinava nel suo rifiuto di andare a recuperare la palla – i pochi tra noi che ancora si cimentavano in quell'impresa erano costretti a ingaggiare un corpo a corpo con i loro figli. Non avevamo più alcun disegno strategico, e perciò dovevamo ricorrere esclusivamente alla tattica. Da quando il mondo adulto aveva abdicato a se stesso, dovevamo muoverci all'interno di un punto di vista altrui, in un territorio straniero, il territorio scosceso dell'infanzia.

Noi padri neofiti ultraquarantenni che, tra gli alberi stenti dei giardini Sergio Ramelli, rincorrevamo i nostri figli in giochi di cui non potevamo più stabilire i regolamenti, eravamo completamente privi di equipaggiamento. Affrontavamo a mani nude il compito di educare, senza alcun utensile o rivestimento che non fossero le nostre virtù e i nostri vizi di uomini, il nostro istinto di animali, la nostra nuda personalità di esseri viventi. Improvvisavamo. Ogni volta che la palla ruzzolava lontano eravamo costretti a reinventare, ciascuno per proprio conto, l'archetipo paterno.

Eppure i pomeriggi affannosi trascorsi a rincorrere le bizze di mia figlia, a tornire il sovrappiù della sua rapida crescita, rimarranno tra i ricordi più belli della mia vita. Quando, uscendo dai giardini, dotati l'una di un succo di frutta alla pesca e l'altro di una sospirata sigaretta, ci sedevamo uno di fianco all'altra sul muretto basso di confine a guardare le ruspe gigantesche che demolivano, pezzo dopo pezzo, piano dopo piano, il palazzo che era stato della compagnia di assicurazioni Zurigo, quel sontuoso spettacolo di distruzione appariva a entrambi magnifico, come doveva essere apparso il mondo ad Adamo ed Eva il settimo giorno della creazione.

Ricordo in particolare il pomeriggio in cui si compì l'epopea della borraccetta.

Poco tempo prima i nonni materni avevano regalato ad Anita la sua prima bicicletta. Una bicicletta verde, come lei non si stancava mai di precisare. Io invece mi stancavo parecchio, curvo su un lato, a trascinarla da casa fino ai giardinetti dove lei finalmente si decideva a inforcarla per una sgambata avanti e indietro. Tutto il resto del tempo era a carico mio. Ma non si poteva comunque farne a meno. Sebbene Anita non utilizzasse la bicicletta verde per più di dieci minuti nell'arco di un intero pomeriggio, era divenuto impossibile lasciarla a casa.

Quella volta, giunti già ai giardini, ci accorgemmo che da sotto il sellino era scomparso l'accessorio più prezioso del regalo più amato. L'apposito alloggio tubolare era desolatamente vuoto. Non potevano esserci dubbi: la borraccetta, quell'insignificante cilindro di plastica con coperchio a strappo che Anita riempiva, svuotava, estraeva e riponeva per intere ore nel cortile di casa era inesorabilmente disperso.

Lessi forse per la prima volta una desolazione adulta nello sguardo di mia figlia: non frignava, non si lagnava nella certezza di ottenere a quel modo ciò che le mancava. Per un attimo sembrò invece arrendersi alla perdita irrimediabile. Fui preso dal panico. Poi mi feci coraggio e varai la missione di soccorso. "D'accordo, la andiamo a cercare," proclamai risoluto.

Incatenai la bicicletta verde alla staccionata che delimitava l'area giochi e partii, mano nella mano di mia figlia, alla ricerca della borraccetta dispersa. Rifacemmo a ritroso l'intero percorso: risalimmo trepidanti via Plinio, un tratto di viale Abruzzi, piazza Graziadio Isaia Ascoli. Anita era tutta compresa dall'importanza della missione. Non protestava, non recalcitrava, non accusava alcuna stanchezza. Adesso era lei che arrancava, cercando di starmi dietro. Mi accorsi infatti in ritardo che la piccola, nel tentativo di tenere il mio passo, compiva degli strani e buffi saltelli a metà tra il passeggio e la corsa. Quando finalmente lo notai, me la caricai sulle spalle e lei riprese la caccia in groppa al suo cavallo.

Siccome prima ci eravamo recati al supermercato per un po' di spesa, tornammo a perlustrare in lungo e in largo le corsie dei biscotti e della frutta. Ovviamente non trovammo niente. Chiedemmo notizie dell'oggetto disperso a cassiere, negozianti e passanti. Nessuno lo aveva visto. A ogni metro percorso, a ogni tentativo vano, io ricevevo conferme del mio cinismo, della mia unica sapienza di adulto. Non avevo infatti sperato per un solo istante nell'esito felice di quella nostra impresa di riporto. Paventavo il momento in cui avrei dovuto trasmettere l'insegnamento a mia figlia.

Anita, invece, non dubitò mai un solo istante. Trascorso il primo momento di scoramento, fu subito risollevata dalla consueta onda di entusiasmo. Durante tutto il tragitto, ogni volta che a una nuova curva del nostro comune percorso la borraccetta non si palesava, lei ripeteva fiduciosa: "Forse è rimasta a casa, babbo..." A me si stringeva il cuore di fronte a tanta malriposta fiducia.

Quando oramai faceva sera, finalmente tornammo al punto di partenza. La avvistammo quando eravamo ancora in strada. La borraccetta se ne stava lì, oltre l'inferriata, ben visibile anche dal marciapiede opposto. Non si era mossa di un centimetro. La plastica bianca riluceva nell'aria che s'oscurava. Quando Anita la raccolse e me la consegnò, sentii montare dal profondo del cuore una dolcissima gratitudine per la borraccetta che se n'era rimasta lì tutto quel tempo, sola e abbandonata, ad attenderci paziente, a recitare il ruolo minore dell'oggetto smarrito soltanto per poterci regalare un irripetibile *happy end*. Fui grato al giocattolo e ad Anita, alla sua incrollabile fiducia nella vita premiata dall'epifania nel cortile di casa.

Bambini griffati

Non c'era niente di solido oltre quella soglia. Per accedere al vasto open space dove si svolgeva l'"evento", si doveva attraversare una nebbia di gin tonic prodotta da una macchina agricola per la nebulizzazione dell'acqua da irrigazione. La gente entrava in una nuvola e poteva bere senza dover tenere il bicchiere in mano. Niente vetro a comprimere i polpastrelli, niente ghiaccio tintinnante contro il vetro. No, nulla di solido sarebbe stato ammesso oltre quell'ingresso, solo vapori lievi e impalpabili, solo miasmi odorosi di ginepro. E nessuno che si ubriacasse davvero – solo una lievissima ebbrezza – perché anche l'ubriachezza è pesante. La nebbia alcolica veniva percepita dai neuroni cerebrali come una pellicola esterna, lasciandoli intonsi. L'unico inconveniente era lo zucchero dell'acqua tonica che si appiccicava alla pelle.

Mi trovavo lì su insistenza della bionda del tavolo 12 del venerdì sera, la quale prometteva aiuto per il rilancio del mio locale facendomi entrare nel "giro della moda". Quella sera infatti, negli showroom di viale Piave, Dolce & Gabbana presentavano la campagna pubblicitaria della loro linea per l'infanzia, e il buffet era stato affidato a un noto *food designer* catalano distintosi per aver progettato le i-Cakes, delle torte la cui decorazione illustrava gli ingredienti di cui erano composte. Era stato lui a ideare la nebbia alcolica all'ingresso.

Non appena la mia amica me lo presentò, facendosi largo in un folto capannello d'invitati, il catalano iniziò a sbracciarsi. "Voi cuochi vi ostinate a non capire," proclamava. "Fate tutti gastronomia, ma la gastronomia è obsoleta, non si è evoluta sul piano funzionale. Siete dinosauri, reperti fossili. I vostri ristoranti sono antiquati perché ci si deve sempre e comunque sedere a tavola per mangiare. Dovreste prendere esempio dai telefoni. Oggi possiamo comunicare in tempo reale con ogni angolo del mondo, ma mica dobbiamo sederci accanto all'apparecchio per telefonare..."

La mia amica mi trascinò via prima che io potessi replicare e mi condusse al buffet, dominato da un futuribile sistema di cottura per la pasta che consentiva di mangiarla con le mani non appena prosciugata dell'acqua di cottura. Gli ospiti sembravano divertiti. Stringevano tra le dita moncherini di maccheroni tiepidi e croccanti, li intingevano in vaschette policrome di condimenti assortiti, e senza nemmeno doversi sedere li sgranocchiavano come snack continuando a conversare tra loro. Avevano l'aria distratta e lieta. La rigida procedura dei pasti era alle loro spalle. Cinque secoli di civiltà della forchetta erano stati azzerati. Davanti a loro si estendeva una possibilità di consumo infinita.

A far da controcanto agli esiti impazziti della progettazione industriale c'era un banco della frutta, di quelli che si trovano al mercato. Ammonticchiate nelle tradizionali cassette di legno, brillavano le livree di centinaia di agrumi. Ce n'erano decine di qualità diverse, da spremere e da mangiare: i tarocchi siciliani rosso sangue e succosi, le arance bionde, filamentose e piene di semi, quelle esangui, un poco avvizzite, quelle appuntite e dalla buccia sottile, e poi i mandarini dalla pelle rugosa, le clementine odorose, i mandaranci, i pompelmi. Quindi le arance cedevano il passo ai limoni. I limoni gialli e piccini di Sicilia, con la buccia liscia, da spremere, i limoni di taglia media, quelli enormi della costa d'Amalfi, da mangiare con il sale e uno strato di pane spesso come un dito, e poi i "verdelli" colti dalla pianta ancora acerbi. A chiudere in modo del tutto incongruo questa profusione di agrumi del Mediterraneo, c'era un trionfo di frutta esotica. Banane gialle e verdi, manghi, papaie, avocado, ananas, litchi, lime dei Caraibi, frutti della passione e noci di cocco.

Anche in quest'area del buffet gli ospiti si muovevano con disinvoltura. Facevano la loro scelta, poi sbucciavano un mandarancio o addentavano con spensieratezza un pezzo di cocco. Pareva che proclamassero di averne il diritto. Sta scritto anche nella Costituzione degli Stati Uniti d'America: ognuno ha il diritto alla felicità e deve poterla perseguire a modo suo, che si tratti di un pompelmo rosa o di una papaia. Ognuno ha anche il dovere di essere felice. Questo non c'è scritto, ma lo si legge tra le righe.

Dopo nemmeno venti minuti, conclusi di aver sbagliato ad accettare l'invito. Per quella gente, l'insuccesso era un delitto di lesa maestà sociale. Nessuno lì mi avrebbe perdonato di aver atteso invano la mia stella Michelin, perché l'infelicità è il solo scandalo della società del benessere. Sentendomi un eversore, mi sottrassi al controllo della mia amica e m'incamminai da solo verso la galleria fotografica.

Lo sfruttamento della prima infanzia a scopi commerciali era indubbiamente l'ultimo grido della moda. Dopo aver colonizzato e spianato con il cannone i territori un tempo impervi dell'adolescenza, i signori del marketing applicato alle stagioni della vita stavano ora marciando a tappe forzate e a ranghi serrati verso le pianure indifese della tenera età. Un altro tabù, forse l'ultimo, era caduto: i bambini venivano platealmente dichiarati segmento merceologico privilegiato. La caccia commerciale al bebè era cominciata.

Me ne resi conto quando distavo ancora venti passi dalle riproduzioni in formato gigante dei ritratti che avrebbero accompagnato il lancio della linea D&G Kids. Per vendere la loro merce, i due stilisti avevano camuffato due infanti da adulti modaioli. I fotomodelli inconsapevoli avranno avuto sì e no un anno: biondi e con gli occhi azzurri, uno di faccia e l'altro di schiena, erano entrambi tappezzati in vari punti del corpo, suola delle scarpe compresa, dalla griffe del marchio riprodotta a caratteri cubitali. Il bambino numero uno, ignaro dell'uso che stavano facendo di lui, rivolgeva fiducioso all'obbiettivo del fotografo la testa sovradimensionata rispetto al corpo, la fronte prominente, il naso piccolo, gli occhi grandi e infossati, le guance paffute e arrotondate, il mento retratto, la pelle morbida e calda, i capelli fini. Tutte le caratteristiche morfologiche selezionate in milioni di anni dall'evoluzione biologica per suscitare negli adulti trasporto istintivo, per attivare nei genitori programmi genetici di protezione e cura amorevole, adesso innescavano nelle aziende della moda protocolli di sfruttamento commerciale.

Ero sgomento. Sgomento e solo. Nessuno, intorno a me, pareva avvedersi della violenta rivoluzione antropologica promossa da quella campagna pubblicitaria. Tutti continuavano disinvoltamente a chiacchierare tra loro, piluccando maccheroncini con le mani e inalando aerosol di gin tonic. Poi finalmente capii la loro disinvoltura: quasi nessuna tra le centinaia di persone presenti, maschi o femmine che fossero, aveva figli.

A me appariva chiaro e spaventoso il fatto che stessero trasformando il corpo imberbe del bambino, nudo per sua vocazione, in un corpo di lusso. Una mutazione mostruosa che nessun mandarancio avrebbe mai potuto compensare. Eppure nessuno ci faceva caso. Tutti chiacchieravano, cinguettavano e sgranocchiavano. L'avventura dell'umanità, oramai, si polarizzava agli estremi tra un tweet e uno snack. Tuttavia nessuno sembrava darsene pensiero. La gente della moda, conclusi, rimaneva indifferente perché, se il futuro fosse dipeso dai suoi tassi di riproduzione, quell'avventura sarebbe già finita da un pezzo.

Decisi di andarmene. Grazie a Dio, l'uscita non era ammorbata da vapori di gin tonic. Lo sferragliare dei tram su viale Piave mi riconciliò un poco con il mondo. Scelsi di passeggiare fino a casa.

Volevo covare ancora per qualche minuto il prezioso senso di ripulsa che quelle fotografie mi avevano suscitato. Sentivo di doverlo portare in dono a mia figlia.

Arrivato sotto casa, la decisione era presa: fanculo il passion fruit del Madagascar, avrei rimesso in menù il pesce persico del lago di Como. Avrei provato a ripartire da lì.

"Lei è *out of policy*."

La direttrice della banca me lo dice con il tono dell'argomento definitivo. La formula l'ha evidentemente confortata. Ora che l'ha pronunciata è più a suo agio, meglio equipaggiata per ciò che verrà in seguito. Ha sfoggiato quell'espressione inglese come ci si calzerebbe sulla fronte la berretta di lana contro i rigori della lunga, interminabile stagione fredda che la sua vita, la mia e quella di chiunque altro dovranno prima o poi sopportare. Io rimango allo scoperto, all'addiaccio. Interdetto.

"Sì, decisamente *out of policy*. Non sono previsti finanziamenti per le Newco."

Continuo a tacere. Il mio sguardo è calamitato dalla gaiezza feroce delle immagini scelte per pubblicizzare i prodotti finanziari. *Più valore ai tuoi risparmi, più energia al tuo futuro*, recita lo slogan dei conti correnti. Un giovane marito porta sulle spalle una giovane moglie come si farebbe con una figlia. Si tengono le mani e si guardano negli occhi amorosi. Dall'alto in basso e dal basso in alto. Sullo sfondo si scorge una guglia, il resto si perde in un campo azzurro.

Per non affondare, distolgo lo sguardo e lo viro verso piazza Fratelli Bandiera, oltre la vetrata dell'ufficio. Un cane di grossa taglia senza museruola e senza guinzaglio sta pisciando sui veicoli gialli del bike sharing.

"Mi dispiace signor Revelli, ma la cosa non è nelle mie mani. È Basilea 2 che non lo prevede. La normativa in materia è chiara."

Mi chiedo come siamo arrivati a questo punto e mi do una facile risposta: non riesco più a pagare i fornitori e il pescivendolo ha smesso di foraggiarmi. Ecco come siamo arrivati a questo punto. Volevo un aumento dell'elasticità di cassa del dieci per cento e siamo finiti a parlare di mutui, prestiti e bilanci. Sono un uomo alla canna del gas che vagheggia un'impossibile puntata al rilancio. Un lavoro di ristrutturazione, un bistrot nella sala fronte strada, un bancone per gli aperitivi, un colpo d'ala, di reni, di coda, un colpo di qualsiasi cosa mi possa tirare fuori dalla palude in cui sto asfissiando.

"Certo, se ci fornisse delle garanzie potremmo valutare la cosa. Lei è sempre stato un corretto pagatore..."

Ora la guardo. Sentirmi definire così mi ha punto nel vivo. Lo prendo come un insulto personale e valuto l'avversario. Sotto quel tailleur grigio, la direttrice deve avere un corpo a tal punto insignificante che si potrebbe dubitare della sua esistenza. È tanto priva di qualsiasi protuberanza o forma da risultare addirittura fastidiosa, inutilmente ingombrante. Basterebbe un accenno di seno, mi dico, una minima curvatura dei fianchi, una qualsiasi sporgenza delle natiche a fare di lei una miniatura di donna in grado di accendere la fantasia di qualche collezionista. D'altro canto, se la sua magrezza fosse sorretta da un'ossatura adeguata, invece di culminare in quelle spalle scartellate, il desiderio di un maschio potrebbe forse anche appagarsi della sua totale mancanza di carne. Ma così è impossibile, così è l'inverno polare di ogni concupiscenza.

"Ha una casa di proprietà da impegnare a garanzia?"

Niente. Spogliarla con il pensiero non mi ha protetto. L'occhio è caduto di nuovo sulle immagini pubblicitarie. *Investi con noi per un futuro sereno.* Un uomo brizzolato guarda l'infinito a prua del suo tre alberi, i calzoni arrotolati sopra le caviglie, gli stinchi nudi, lo scoccare delle sartie al vento.

"Sua moglie ha delle risorse?"

Non è nemmeno così brutta, il suo problema è un altro ma fatico a metterlo a fuoco. Mi arrovello per qualche secondo, poi mi soccorre il marinaio che ha ben investito: è secca. Ecco, si tratta di questo. Non c'è acqua in questo genere di donna. È arida, riarsa, stepposa. È l'osso di seppia lasciato sulla battigia dalla risacca di un oceano prosciugato. Un secolo di rivendicazioni femminili l'ha disidratata.

"Possiede beni di famiglia?"

A ogni grande passo saremo al tuo fianco, promettono intanto i prodotti assicurativi. Un uomo e una donna conquistano il Polo scivolando sul *pack* uno accanto all'altra.

"Forse i suoi genitori possono aiutarla..."

Prestito presto. Scegli la soluzione di prestito personale pensata per te e per i tuoi progetti. Una ragazza bionda con gli occhi celesti viene sollevata in trionfo sulla testa da una ridda di mani. Ma non è Giulia, già troppo vecchia. Sarà forse Anita? Sarà questo azzurro radioso e feroce il futuro di mia figlia?

"Le consiglierei allora di provare con la Confcommercio. O con la Unioncamere. Loro hanno dei programmi, io non posso fare nulla..."

Il mio silenzio ostinato l'ha messa nuovamente a disagio. Povera donna. Fa per alzarsi. Non mi tende la mano. Mi accompagna alla porta.

"Sa, di questi tempi..."

Mentre mi rivolgo all'uscita, con quelle parole la direttrice mi colpisce alla nuca.

Di questi tempi...

La frasetta di circostanza smozzicata, tronca e sospesa mi rimane in testa per l'intera giornata. Ci vado a lavorare appena uscito dalla banca, ci cucino a pranzo, ci riposo nel pomeriggio, poi me la ritrovo a cena mentre chiamo le comande dirigendo il traffico verso la sala.

Di questi tempi...

La frase mi accompagna fino a notte fonda. Chiudo la cucina, bevo tre Negroni, chiudo anche il bar ed è ancora con me. Mi incammino a piedi verso casa. Poi, però, devio e comincio a girovagare senza meta. La notte è calda, serena, splende perfino un quarto di luna e lo spirito del tempo non molla la presa. Il suo spettro si aggira insieme al mio per la zona 3, tra Città Studi e piazzale Loreto.

Di questi tempi... Quali tempi, per dio, quali?

Percorro viale Abruzzi fino in fondo, bordeggio tra giovani puttane rumene fino alla sua foce. Non vengo adescato: sono un derelitto, un pedone. Giungo a piazzale Loreto. Mi pianto sul marciapiede dal lato di via Andrea Costa, estraggo le mani dalle tasche e di fronte a quello slargo precluso al passeggio, rinserrato tra palazzi da periferia moscovita e battuto dal traffico in transito veloce verso la Brianza opulenta, cerco con gli occhi il punto in cui fu appeso Mussolini. Ricordo, da una foto dell'epoca, la massa tragica del corpo infagottato e una pompa di benzina. Non la trovo. Non trovo nulla di nulla. Niente tracce, non una sola orma. In nessun altro luogo della terra il passato è così abraso.

Di questi tempi...

Tiro su con il naso. Sono un cane da slitta. Fiuto nei vortici dei gas di scarico la presenza incombente del crepaccio. È il 13 giugno dell'anno 2011. Un decennio si è appena chiuso, un altro si apre. La città è deserta, nuda al suo presagio.

Il nostro crepaccio, mi dico, è stata una bolla di fuoco partorita alle 8,46 di una bella mattina di settembre dal ventre di una torre gemella, penetrata sul versante opposto da un aeroplano in volo di linea. Il decennio, il secolo, forse il millennio sono cominciati in quel momento, con quell'immagine terribile e memorabile di parto isterico. Per un attimo, lo ricordo bene, abbiamo creduto che il "doppio zero" fosse un quadrato di potenza del *ground zero*, il punto di corrispondenza al suolo di un'esplosione avvenuta in cielo. Ci siamo illusi che si stesse entrando in un tempo dell'avvento, dell'irruzione di accadimenti squassanti che avrebbero strappato la trama degli eventi, portando con sé sciagura e distruzione ma anche rivelazione.

Da quel momento in avanti, tutto ciò che sarebbe potuto ancora accadere era l'incidente, tutto ciò che poteva ancora essere intentato era l'attentato, tutto ciò che ci rimaneva da attendere era l'esplosione di una bomba. Qualsiasi cosa, animata o inanimata, in quel clima da fine dei tempi sembrava suscettibile di trasformarsi in ordigno esplosivo: un'automobile, un volo di linea, una giovane cecena, palestinese o irachena. Non ci rimanevano che meraviglia e terrore. Terrore e meraviglia. La storia, appena rimessasi in marcia, precipitava in fretta verso la sua fine. Tutto si sarebbe presto compiuto. Ecco in quali tempi abbiamo vissuto, cara la mia direttrice. Avanti di quel passo, tra un attentato in metropolitana, una mucca pazza e una guerra d'invasione, per anni abbiamo annunciato ogni giorno la fine del mondo.

Poi, però, un'inversione di rotta. Verso la metà del decennio le nostre paure hanno conosciuto un cambio di paradigma: all'apocalisse si sostituiva il declino, alla catastrofe la decadenza. Lo spettro della fine non si annunciava più come schianto ma come sfinimento. Abbiamo smesso di immaginare il futuro – che già prima non era più quello di una volta – come la locomotiva impazzita del progresso lanciata verso l'incidente terminale e lo abbiamo ripensato come un convoglio stanco, deviato a esaurire la propria corsa su un binario morto.

Anche questa svolta è avvenuta in forma di esplosione spettacolare, ma era il canto del cigno dello schema esplosivo: a esplodere era ancora una bolla ma adesso non più bolla di fuoco, bensì bolla speculativa. Passata la tempesta nel bicchiere d'acqua intossicata, il residuo lasciato sul fondo era l'autocoscienza del declino. L'Occidente, l'Europa, l'Italia soprattutto. Ecco in quali tempi viviamo adesso.

Abbandono piazzale Loreto ai suoi fantasmi, giro sui tacchi e torno sui miei passi. Che i morti seppelliscano i morti.

Sì, forse intendeva proprio questo la grama direttrice di banca mentre pronunciava con la malinconia di una personale sconfitta la sua frasetta senza senso: era cambiato il tono di nero. Io, lei, tutti noi, affacciandoci all'inizio di questo nuovo decennio, non ci aspettavamo più l'imminente resa dei conti ma una lenta, progressiva estenuazione. Ciascuno sapeva che sarebbe stato più povero, più sfruttato, più disoccupato, meno istruito della generazione precedente: insomma, non ci aspettavamo più niente. Il primo decennio del millennio, cominciato con un'apocalisse politico-religiosa, è finito con un'apocalisse economica. Si è passati in un battibaleno dalla legge del profeta a quella finanziaria, dalla sindrome da Undici Settembre a quella da ventisette di ogni mese, dall'ipoteca del terrorismo a quella sulla casa, dall'ansia da esplosione allo spettro della disoccupazione. Il decennio è iniziato con i musulmani ed è finito con i cinesi.

Svolto su viale Gran Sasso. Lo faccio così, senza motivo. Dopo pochi passi, sul mio stesso marciapiede mi appare un'insegna luminosa. OPEN. Dice soltanto questo: OPEN. Lo proclama alla sordità della notte con un fulgore intermittente di bagliori policromi. Rosso, giallo, verde, cremisi: una corona di luci gira tutt'intorno all'annuncio, si smorza, poi ripristina quel cerchio smagliante ripetendolo all'infinito. La luminaria del centro massaggi sfolgora nella notte di viale Gran Sasso come su un impero dove il sole non tramonta mai. Tutta la città dorme, è chiusa, e quell'OPEN gridato di un'ultima apertura racchiude il suo residuo splendore.

Ho letteralmente l'impressione di essere arrivato. Lo sfavillio mi s'imprime sulla retina. Sono a casa, è questa la mia destinazione, la vita mi ha condotto fin qui, davanti a quest'insegna. Oasi d'Oriente, così recita. E promette massaggi, benessere, romanticherie. Non è ciò che ho sognato da ragazzo, ma è pur sempre una promessa.

Demoni

La ragazza gli impone le mani. Voltato di schiena, lui si sente come una vigna ad alberata assalita dal tralcio della vite. Si perde nell'ebetudine del godimento. Un piacere lieve, sottocutaneo, a bassa intensità, ma proprio per questo terminale ed estremo. Le mani di lei sui suoi polpacci, sui suoi fianchi, nel solco delle sue natiche. Poi la distensione delle grandi fasce dorsali. La muscolatura più lunga, più contratta, più permeata dalla nevrosi. Lei la attacca e la scioglie con i pugni, i gomiti, le ginocchia. Ogni osso gli dà sollievo, ogni parte del corpo è buona. Anche la durezza gli procura rimedi per ernie del disco, contratture lombo-sacrali, dolori cervicali. Quelle mani sono lenitivi corporali per acciacchi dell'età, stati di tensione, posture erronee, movimenti violenti. Gli offrono balsami naturali per patologie secondarie, disfunzioni latenti. Quelle mani lo mutano in un uomo immacolato, in un animale marino, una foca, un tonno, un bambino. Ricevono denaro in ritorno ed è uno scambio di doni preziosi, perché curano disturbi lievi ma cronici. Sono mali di stagione, se ne vanno ma sono destinati a tornare. A ogni gelata, a ogni nuovo inverno. Fino alla fine.

Poi lei lo fa voltare con una lievissima rotazione del polso. E lui si ritrova finalmente, propriamente supino. La sente sussurrare parole soavi: "Sei stanco? Tanto lavoro... poverino... tanto stress... ora penso io... penso io..." Sì, pensa tu, pensa tu, mia ombra, mio demonio notturno. Il mio animo è ancora romantico, sai, ma il mio corpo nuota nella volubilità dei desideri fattasi suprema legge di mercato.

Le mani sulla gola, sul petto, sui fianchi – non sono più petto e fianchi di uomo, non sono ancora petto e fianchi di donna. Le mani sulle cosce, sugli inguini, sul pene. Chiede denaro in un bisbiglio ("poverino... tanto stanco... poverino...") e lo ottiene. Impugna il pene come prima impugnava le dita, i polsi, le caviglie. Senza cambiare presa lo unge come ha unto i lombi, il dorso, le clavicole. Nessuna soluzione di continuità: non è sesso, non è fallo, non è simbolo, è solo un'escrescenza carnosa, un'altra parte del corpo, un tessuto cavernoso. Massaggia anche quello, ecco tutto.

Lui allunga la mano per prenderla. Un ultimo, declinante riverbero dell'impulso a ghermire la femmina lo raggiunge dal fondo dei tempi. Poi svanisce anche quello. E allora lui, il maschio congedato, il padre infedele a se stesso, regredisce. Regredisce lungo una diversa ascisse temporale, verso rapporti non paritetici, verso sottomissioni benefiche, verso scompensi paradisiaci. La vita adulta è oramai solo un ricordo d'infanzia.

Poco dopo lei gli fa il bagnetto. L'acqua è bollente, la schiuma copiosa e a buon mercato, la tinozza di legno angusta. Lo chiama "mio amore", gli deterge le spalle, la nuca, la piega dietro le orecchie. Gli asperge il petto, il collo, le cosce. Poi lo asciuga dappertutto. Mentre lei rassetta – piega gli asciugamani, svuota la vasca, gli porge i calzini – lui fantastica un altro tipo di vita e un altro tipo di moglie. Una compagna servizievole, docile, abietta.

Per un attimo l'idea lo accarezza. Si sente vuoto, disteso, affrancato. Non ha più donne libere e fiere davanti a sé, solo schiave d'amore da *hard discount*. Schiave loro, schiavi noi, schiavi tutti. Un secolo è trascorso invano, ogni rivoluzione è fallita. Soprattutto quella sessuale.

Fine carnevale

Il giorno in cui mi decido a dirlo a mio padre, lui mi facilita il compito e si presenta al ristorante di sua volontà. Il suo arrivo non mi sorprende perché a quel punto, oramai, la cosa non è più una novità.

A quale punto? Al punto in cui Anita ha cominciato a parlare e a camminare. Anzi, a camminare al suo fianco e a parlargli. Da quel momento in avanti, non prima, mio padre ha infatti dato segno di notare l'esistenza della nipotina.

Fino ad allora è parso non accorgersi di lei, come a mia memoria non è mai sembrato accorgersi di noi, i suoi figli, durante tutta la nostra infanzia, o comunque finché non siamo stati abbastanza adulti da reggere in mano una padella. Simultaneamente all'agnizione della nipote, Alcide Revelli ha anche tolto l'embargo al mio ristorante che fu suo. Senza dire una parola di riconciliazione, ha ricominciato a presentarsi alla porta in ferro battuto e vetro piombato al numero 15 di via Panfilo Castaldi tenendo Anita per la manina.

La prima volta credo sia stato possibile grazie a una trama tessuta in segreto da Giulia, la quale non si era mai rassegnata al malinconico congedo del mio vecchio dal luogo in cui aveva speso tutta la sua vita. In ogni caso mio padre è apparso sulla soglia una mattina, stringendo la mano della piccola come impugnando un lasciapassare imperiale, e senza nemmeno salutare è entrato. Si è mostrato sicuro del fatto che, con quella compagnia, nessuno avrebbe osato infastidirlo.

Da allora la cosa è diventata un'abitudine e, più ancora che un'abitudine, un rito. I due compaiono ogni sabato mattina verso le dieci e mezzo, tenendosi per mano. Entrano, poi il vecchio, sfidando l'artrite reumatoide, si china sulla bambina per sfilarle la giacchetta, quindi si toglie la sua, appende entrambe ai ganci all'ingresso, riprende la piccola per mano e, sempre senza salutare nessuno, si avvia con lei verso la cucina. Giunto lì, ricomincia ogni volta il solito giro d'istruzione. Compiono sempre lo stesso percorso, passando in rassegna i fornelli, gli acquai, le friggitrici, rammemorando i nomi di tegami, pentole e padelle. Ignorano sempre, infallibilmente, le apparecchiature più recenti – l'abbattitore di temperatura, il bagnomaria elettrico e la brasiera ribaltabile – per soffermarsi invece sulle padelle multistrato, sulle pentole a doppio fondo e su quella in pietra ollare per gli stracotti. Già la terza volta Anita ha imparato il nome e la funzione di ogni arnese. Il nonno glieli sillaba e lei li ripete con la vocina sottile e cantilenante dei bambini. Poi i due si guardano negli occhi e gioiscono. Sono una coppia. Una coppia indubitabilmente felice. E, come per tutte le coppie felici, anche per loro il resto del mondo non esiste. Terminato il loro rito, si rivestono e se ne vanno da dove sono venuti.

La mattina in cui decido di confidarmi con mio padre, devo perciò chiedergli espressamente di restare. Anita viene affidata a Giulia, con la quale ho concordato il mio piano e che dunque nel frattempo ci ha raggiunti. Mio padre gliela cede malvolentieri, con un impercettibile gesto di capitolazione, lasciando intendere che non l'avrebbe consegnata a nessun altro che non fosse la madre.

"Nonno, mai poi torni?" gli chiede la piccola salmodiando il suo solito mantra di scongiuro e rassicurazione.

"Certo Anita, il nonno torna sempre da te," le risponde il vecchio senza ombra di esitazione. Uno sperone di roccia.

La forza basaltica con cui quest'uomo ha appena formulato una promessa di eternità che ben presto la morte gli impedirà di mantenere echeggia nelle sale del ristorante come sotto le volte a crociera di una basilica romanica dell'anno Mille. È ancora su di noi quando ci sediamo a un tavolo d'angolo nella sala sul retro. Dalla cucina portano due calici di bianco annacquati e spruzzati di vermouth. Mio padre non tocca il suo. Sta aspettando. Io il mio lo tracanno e mi decido a parlare.

"Papà, il ristorante non va bene."

Mio padre tace. Il suo silenzio mi uccide. Non lo sopporto e allora lo riempio. Formulo nella mia testa il discorso che vorrei fargli e non gli farò mai, innalzo nel silenzio del mio cuore quella lamentazione che non sarà mai pronunciata tra noi.

Vedi, papà, tu ci devi capire. Siamo una generazione deprivata. Non disillusa e nemmeno disincantata, perché non abbiamo mai avuto il tempo per autentiche illusioni né per alcun preliminare incanto. Abbiamo quarant'anni e siamo degli adolescenti deprivati. Non devi essere severo con noi, papà. Ciò che ci corrode è la discrepanza tra le aspettative lungamente coltivate da un'infanzia e un'adolescenza satolle e le reali acquisizioni di un gramo presente. Soffriamo, per questo, della sindrome da passato recente. Fino a ieri, e durante tutt'intera la giovinezza, la vita intorno a noi sembrava migliorare progressivamente. Poi però, quasi all'improvviso, proprio mentre raggiungevamo la dorsale dell'età adulta, ci ha sorpresi una netta inversione di tendenza.

E allora, papà, noi stiamo lì, a un passo dal crinale, ma risospinti indietro. Per voi è stato diverso, non so se ci puoi capire. È stata sicuramente più dura per voi, ma il nostro è un destino beffardo. Proprio al momento di fare il nostro ingresso tardivo nell'età forte, dove il terreno del nostro spazio nel mondo ci si dovrebbe rassodare sotto i piedi così da poter finalmente dare una piccola unghiata alla crosta della terra, ecco che invece ci scopriamo vittime di una maligna sottrazione. Il dato ci è tolto, l'ambiente agiato e protetto in cui ci avete cresciuti si è infranto, il primato del nostro benessere è distrutto. Impoverimento, precarizzazione, deindustrializzazione, disoccupazione. Siamo cresciuti con la promessa di un'espansione infinita, invece viviamo in universi in contrazione. Lo puoi capire questo, papà?

Non so, a questo punto, quanto tempo sia passato. Forse solo pochi secondi. Mio padre, però, continua a tacere. E io anche. Lo guardo portare alle labbra il calice di bianco sporcato di rosso e vengo folgorato da un ricordo di quando io ero ancora un ragazzo e questo vecchio era ancora un uomo tagliato con l'accetta.

Dovevo avere quindici o sedici anni, doveva essere il 1983 o il 1984, nelle prime ore del pomeriggio. Di certo era il primo giorno di carnevale, a Venezia, e scendevo il Ponte di Rialto per andarmi a ubriacare assieme alla mia banda. Ero ospite di mio cugino, del ramo veneziano della famiglia. Con lui e i suoi amici ci saremmo ubriacati tre volte al giorno – mattina, mezzogiorno e sera – per sette giorni la settimana, in compagnia di un milione di persone giunte a far festa da ogni parte del mondo. Tutti venivano in quella città trasformata in una cartolina illustrata e tutti ci avrebbero offerto da bere. Noi eravamo giovani, indigeni, voraci. Avevamo tutto il carnevale e tutta la vita davanti. La gente faceva sesso nelle calli, i vigili si disponevano in cordoni per incanalare la fiumana di turisti, piazza San Marco era un'immensa discoteca a cielo aperto. Era il primo giorno di carnevale e stavamo andando a una festa. Era sempre il primo giorno di carnevale e stavamo sempre andando a una festa. Ricordo che quel giorno, scendendo il Ponte di Rialto, piansi di commozione sotto la maschera di cartapesta perché sentii che non sarei mai più stato così felice con la mia generazione. Avevo ragione. Presto, molto presto, qualcuno avrebbe spento la luce. Già allora stavamo vendendo l'argenteria di famiglia.

"Non ti amareggiare, Glauco, non serve a niente. Vi hanno gettato un osso già spolpato. Fai del tuo meglio, poi accada quel che deve accadere."

Mio padre ha finalmente parlato. Io per alcuni secondi rimango incredulo. Dubito che quelle parole siano state veramente pronunciate. Mi chiedo se non siano, per caso, la coda delle mie elucubrazioni. Poi il vecchio scosta un poco la sedia dal tavolo, i piedi stridono sull'impiantito e mi rendo conto che le elucubrazioni sono rimaste azzerate. Sono grato a quest'uomo come non lo sono mai stato.

"Come va con Giulia, piuttosto?"

L'incredulità mi riagguanta. Se me lo avessero chiesto cinque minuti fa, avrei detto che mio padre non ricordava nemmeno il nome di battesimo di mia moglie. Adesso sono io a tacere. A lungo. La figliolanza m'impedisce di mentire, ma la gratitudine appena conquistata m'impedisce di parlare.

"Un uomo torna sempre a casa da sua moglie. Ricordatelo, Glauco."

Ora mio padre si è alzato. Si avvia verso l'uscita, deciso a riprendersi la manina di Anita. La conversazione è finita. Era questo, non altro, che il vecchio aveva da dire.

E così, di questo passo, Anita ha compiuto tre anni. "Sono grandicella oramai," dice di sé. "Sono grandicella e vado alla scuola materna." Lo sottolinea piccata a chiunque cada distrattamente nell'errore di nominare ancora l'asilo, già relegato a uno stadio di vita precedente. Ha carattere la piccola Anita, difenderà con l'abituale tenacia questa conquista della sua età.

Io stesso devo applicarmi per tenere a mente questa distinzione tanto importante per lei. E ci riesco. L'errore che commetto, invece, è di offrirmi volontario per accompagnarla il primo giorno a questa benedetta scuola materna. Lo commetto, però, con parecchie attenuanti.

Dello psicodramma dell'inserimento all'asilo nido, recitato due anni prima, mi sono giunti soltanto echi distanti, poiché all'epoca ero troppo impegnato a inseguire invano la mia prima stella per potervi prendere parte. E così adesso propongo di farmi carico in prima persona di questo secondo inserimento che, stando all'opinione prevalente, si annuncia non meno drammatico del primo.

A dirla tutta non è per puro altruismo, o senso del teatro, che mi spingo a fronteggiare il terribile inserimento: la settimana scorsa, infatti, si è svolto in cucina l'abboccamento tra me e mia moglie dal quale ha preso avvio questo racconto. Lo stato di crisi della nostra famiglia è dunque proclamato e io spero in questo modo di porvi rimedio. Sono uno sciocco, insomma, ma in buona fede. Il secondo errore che commetto è di chiedere a mio padre di venire con noi. E per questo non ho scusanti. A ogni modo, in questa formazione ci presentiamo alle dieci in punto ai cancelli della scuola materna: nonno, babbo e figlia. Tre generazioni mano nella mano, e ad accompagnarle la sensazione che da qualche parte in questa catena ce ne sia una mancante.

La scena che ci si presenta è ben nota, una scena di ordinaria tirannia infantile. Tutti noi l'abbiamo osservata in luoghi affollati, soprattutto in quelli consacrati al tempo libero o alla vacanza della famiglia italiana: bambini sanissimi, energici, perfino rigogliosi, trionfi di ipermotilità e ipersviluppo che, privi di ogni freno inibitore, scalpitano, schiamazzano, furoreggiano, gettando nella disperazione i loro impotenti genitori, mentre l'insofferenza di alcuni e la prona ammirazione di altri si propagano nell'ambiente circostante in onde concentriche attorno al piccolo tiranno. Bambini che non solo sono sottratti a ogni forma di autorità da parte dei genitori, ma sono addirittura loro a esercitarla su padri e madri, con l'arbitrio e la violenza di cui solamente la crudeltà infantile è capace.

Al momento del nostro ingresso a scuola, alcuni di questi bambini sono già entrati in azione e le madri, coadiuvate dalle maestre, cercano di isolarli dal gruppo per evitare che l'isteria si diffonda. I genitori dei figli che ancora non hanno cominciato a piangere fanno del loro meglio per distrarli dagli strepiti che provengono dagli angoli dell'aula o da dietro gli armadietti. Su tutti, però, cala una cappa di angoscia sempre più pesante.

Non ne sono del tutto sicuro, ma io e mio padre siamo forse gli unici maschi. So invece con certezza che nei primi minuti formulo la risoluzione interiore di fare di tutto per sdrammatizzare questo abnorme psicodramma. Sarà sufficiente essere un po' più asciutto, più brusco magari, meno affettuoso, mi dico. E devo riconoscere con me stesso che probabilmente mi sono portato dietro mio padre proprio per prenderlo a modello.

In fondo si tratta di una patologia ben nota, non c'è alcun mistero. Il colpo di stato dell'infanzia lo si deve non a una mancanza di cure nei riguardi dei nostri bambini, ma a un loro eccesso. Il problema è sempre lo stesso: facciamo pochi o nessun figlio. E quando il pargolo finalmente arriva, se arriva, nasce spesso da genitori oramai prossimi al loro limite biologico di capacità riproduttiva. La vita media, poi, si allunga e i nonni campano a lungo. Il neonato, spesso unico erede, s'introna così al centro delle attenzioni spasmodiche di un sestetto di adulti come un pascià orientale. Il suo avvento appare quasi miracoloso. La nascita del bambino viene salutata come una manifestazione sovrannaturale, l'incarnazione di una divinità minore. In questo modo, ogni bambino che nasce è sempre il Bambin Gesù. Ci mancano solo il bue, l'asinello, i Re Magi e la stella cometa. L'oro, l'incenso e la mirra ce li mettiamo noi, acquistandoli al più vicino centro commerciale.

Queste le considerazioni che ripeto tra me e me, mentre mi avvicino alla soglia della classe turchese dove tra poco dovrò separarmi da mia figlia.

Il modello alternativo è d'altronde ben collaudato. Io e tutti gli altri adulti della mia generazione ci siamo cresciuti. Ricordo bene quando ancora i bambini erano delle entità periferiche, creaturine secondarie che razzolavano sotto la tavola durante le cene di famiglia tra le gambe di genitori e parenti che rimanevano intenti a bere, mangiare e litigare tra loro. Ai tempi in cui i bambini eravamo noi, l'attenzione la catturavamo soltanto quando turbavamo eccessivamente la digestione degli adulti, oppure quando ci facevano davvero male. In tutti gli altri casi, crescessimo pure senza tante storie, come crescono le piante che è sufficiente ogni tanto ricordarsi di annaffiare.

E così, forte di questa sapienza, prendo Anita per mano, la conduco in aula, recluto lungo il percorso anche un paio di sue amichette e, senza degnare d'attenzione i patemi che vanno montando attorno a noi, comincio a intrattenerle con un gioco di travaso tra recipienti di granaglie. Sotto la mia guida le bimbe mescolano e trasbordano con gusto chicchi di riso, frumento, grano saraceno. Io le guardo con piglio sicuro. In fondo sono del ramo. Quando poi giunge il momento della separazione, anticipo con un guizzo il secondo richiamo delle maestre e mi avvio alla porta ostentando indifferenza. Saluto Anita con un cenno della mano, soffiandole appena un bacio volante. Sto fuggendo, ovviamente. Non si tratta certo di un sobrio e virile congedo.

Un attimo più tardi scopro fin dove possa spingersi la volubilità dell'animo umano. Anita passa dalle risate al pianto disperato in meno di tre secondi, il tempo di ruotare di centottanta gradi la testolina sul collo. Nell'istante successivo scopro ciò che in verità già sapevo: di questi tempi, i padri piangono come piangono le madri.

Vedendo Anita che mi tende le braccine, sentendola che urla disperata il mio nome, crollo. Incurante delle rassicurazioni e poi delle proteste delle maestre, prendo mia figlia, la rivesto in tutta fretta e la porto via con me. Mi avvio verso l'uscita temendo il disprezzo di mio padre, rimasto ad aspettarmi oltre la linea degli armadietti. Lui, però, sembra assente. Forse troppo estraneo a questa scena per poterla commentare con qualsiasi sentimento, Alcide Revelli guarda a noi come a un quadro in lontananza, come da un'altra sponda.

Mentre attraversiamo l'uscita, mio padre inciampa. Gli offro il braccio sinistro. Vi si aggrappa. La senilità prevale sull'orgoglio.

Reggendo mio padre con la mano sinistra, sorreggendo Anita con la destra e con tutto il corpo la schiacciante assenza di mia moglie, esco in strada. Per un istante mi sento un eroe antico dei tempi moderni. Siamo certo piccoli uomini ridicoli e non fondatori d'imperi, mi dico mentre mi avvio alla fermata del tram sopportando con la sola forza delle braccia il peso del vecchio padre e di mia figlia. Ma ciò non toglie che gli dei siano fuggiti anche dal nostro cielo e che noi dobbiamo difendere ancora una volta una città scomparsa. Ancora una volta la casa dei padri brucia alle nostre spalle e noi potremo condurre in salvo soltanto ciò che riusciremo a caricarci in collo.

Ciò che resta

Sull'avambraccio del mio barbiere è sbocciato un tatuaggio. L'ho notato subito, appena ha impugnato le forbici. Mi ha sbalordito e al tempo stesso mi ha intenerito, come potrebbe accadere con una dichiarazione d'amore tardiva.

Vito è un bravo ragazzo, senza grilli per la testa. È un ragazzo del Corvetto, cresciuto nei caseggiati popolari in fondo a corso Lodi. Casermoni costruiti e poi abitati fragorosamente dall'ultima ondata di braccianti agricoli immigrati a Milano dalla Basilicata e dalle Puglie negli anni Cinquanta. La stranezza sta nel fatto che, oramai, anche Vito è un ragazzo di quarant'anni. E, se non lo hai mai fatto prima, devi avere un ottimo motivo per decidere di tatuarti a quarant'anni. Vito ce l'ha.

In Giappone, mi spiega, il numero 8 è sacro, simboleggia la quantità innumerevole delle sue isole. E anche per i cristiani l'ottavo giorno della creazione, venendo dopo il settimo, è un annuncio di eternità. Infine il numero 8, se ruotato di novanta gradi, è il simbolo dell'infinito, e l'8 inciso nella carne del suo avambraccio, quando il braccio è teso, presenta esattamente quella rotazione.

Vito racconta e tagliuzza. Io mi consegno alle sue mani e al suo eloquio. Lascio fare e lascio crescere il mio stupore per questo ragazzo del Corvetto che discetta di numerologia con il suo diploma di perito elettronico. L'avambraccio tatuato mi si accampa proprio dinanzi agli occhi mentre Vito mi sfuma le basette. Allora capisco: dentro il numero eterno, infinito e perfetto, stanno inscritte due iniziali svolazzanti. La M di Marika e la Y di Yassin.

Consapevolmente o meno, il ragazzo allevato in una famiglia tradizionale di contadini inurbati del meridione d'Italia ha cercato di ricreare l'ambiente delle sue origini migrando più a sud lungo le rotte del Mediterraneo. Sua moglie, nata in un paesino alle pendici del Grande Atlante marocchino e trasferitasi alla periferia di Brescia quando ancora era bambina, sebbene allevata da un padre musulmano integralista, dopo due figli e dieci anni di matrimonio si è finta ripudiata. Ha messo il marito alla porta e si è portata in casa un altro uomo. Vito precisa che il tatuaggio, contro il parere del tatuatore, lo ha preteso proprio sull'avambraccio, costantemente snudato nel gesto del suo mestiere, perché lui le iniziali dei suoi figli le reclama sempre bene in vista.

Con la sua abituale bonomia, perfino il solito buonumore, Vito mi racconta di un padre reietto e immiserito che, non avendo altro da offrire, attende i figli all'uscita della scuola con una confezione delle loro merendine preferite sottobraccio; di padri di famiglia, onesti e faticatori come lui, che trascorrono la notte al dormitorio comunale di viale Ortles imbrandati al fianco di balordi e perdigiorno; di telefoni cellulari che vibrano nel cuore della notte per annunciare con un messaggio e un cuoricino le prime mestruazioni di una figlia perduta.

A questo punto smetto di ascoltare, perché sopraffatto dal senso del pudore. Districandomi tra le braccia di Vito, cerco il mio volto nel suo specchio da barbiere. Per rispetto del suo dramma, mi concentro sul mio. È così che andremo a finire?

Da quando Giulia è scoppiata a piangere in cucina, continuo a rivedere il giorno del nostro primo incontro. E la memoria continua a ingannarmi con l'immagine di due bambini. Il vecchio trucco dell'infanzia felice. Vedo due creature dell'età di Anita che bisticciano nel giardino sul retro della scuola ingolfate nei cappotti, le braccia ancora troppo corte per potersi abbrancare nella stagione fredda, quando le mamme infagottano i figli e i figli si conoscono a quel modo, e poi si giurano eterna amicizia con l'aria di cospiratori che stipulano un patto segreto, valevole per la vita come per la morte.

So benissimo di avere incontrato Giulia da adulto a una fiera del formaggio, eppure vedo due bambini che si dissero sì quel giorno e non avrebbero potuto che seguitare a dirselo, dovendo perciò perseverare tutta la vita nello smentirsi a vicenda. Li vedo, testimoni uno dell'altro, siglare il loro patto con tutta la fedeltà di cui sono capaci, con tutta l'onestà di bambini probi ed entusiasti, ignari del fatto che la loro promessa non basterà a scongiurare il delitto che non si commette, quello che semplicemente accade. Il loro giuramento, una volta pronunciato, non cesserà di perseguitarli, persevererà, silenzioso e remoto, a denunciare l'abiura compiuta da quei due bambini per ogni centimetro guadagnato in altezza, per ogni grammo di peso, per ogni pelo spuntato sul pube o sul torace, per il loro sesso divenuto capace, per ogni capello perduto. Vedo quel primo sì gettare due intere esistenze in pasto alla crudeltà delle loro storie.

Provo a liberarmi di questo falso ricordo ma non ci riesco. Non ci riesco e non voglio. Sento infatti, oscuramente, che la chiave di tutto è riposta da qualche parte tra questi nostri anacronismi.

Ricordo bene, Giulia, quando cominciammo ad amarci. Riguardo a questo non c'è inganno che tenga. Ricordo l'euforia degli inizi, anch'essa già allora un'idea. Ricordo che ci scaldavamo il cuore al pensiero dell'uomo e della donna maturi che un giorno si sarebbero voltati indietro verso noi due come verso i propri antenati remoti. Ricordo la gioia che provammo al presentimento del padre e della madre, della moglie e del marito.

È per questo motivo, non perché tema la sorte di Vito, che non riesco ad accordarmi all'ipotesi che tutto possa finire. Ora dobbiamo essere noi, Giulia, quell'uomo e quella donna stranieri cui un tempo giurammo fedeltà come a un'antica tradizione.

Su un punto, però, ti do ragione: se tutto è cominciato con una perorazione all'avvenire, e non con questa mia supplica alla memoria, allora dovrà proseguire così come è cominciato. E allora ti chiedo: ciò che potrebbe ancora avvenire tra noi rimarrà increato? Davvero ci arrenderemo a noi stessi imparando a essere ciò che già eravamo? Getteremo sulla bilancia il peso dell'inerzia, la massiccia indifferenza delle pietre? Davvero usciremo reciprocamente dalla nostra visuale, annegati nell'ombra di cose più vicine? È possibile stare nel vorticoso risucchio della sopravvivenza e amarsi? È possibile non starci da soli come untori della peste?

E lo so che nulla si può fare per la morte in ciò che muore, per l'immenso mare implicito dietro la cordigliera nell'orizzonte di questo paesaggio di sabbia e sassi. Eppure non mi rassegno all'idea che la grande spremitura non separi l'olio lucente dalla morchia, che vivere significhi imboccare la strada più breve verso l'estinzione.

So anche che, quando si giunge alla fine, tutti noi vogliamo sapere dove la storia vada a parare. Ma qui ci si dovrà accontentare. La nostra storia non è ancora pronta a ricadere nella quiescenza di un finale.

E Anita? Anita crescerà, comunque vada a finire. Sta già crescendo, anche in questo preciso momento, mentre scrivo. È nel corso del suo formidabile mutamento e io, che sono un primitivo tecnologico, ho comprato uno smartphone di ultima generazione soltanto per poterla filmare. Lo voglio avere sempre a portata di mano il mio nuovo archivio digitale, in ciò simile a Vito, che vuole sempre bene in vista il suo tatuaggio infinito. Dal mio barbiere mi separa soltanto un passo, solo un'altra sconfitta, nel match truccato che tutti quanti combattiamo.

Anita si schermisce quasi sempre di fronte alla videocamera. Poi, però, ama rivedersi. S'incanta della propria immagine in movimento e ride delle proprie buffezze. Contemplandosi nel "telefonetto" – lei lo chiama così – sembra cogliere tutta la sua indicibile tenerezza, come se, già adulta, si curvasse sullo specchio della propria essenza di bambina. Come se si guardasse dal futuro.

Il futuro. Già, il futuro. Qualcuno ha scritto che la genuflessione dinanzi al futuro è la più vile delle piaggerie. Il futuro certo ci giudicherà, ma senza la benché minima competenza. Sì, credo proprio che sia così. Eppure, quando sei genitore, non puoi fare a meno di inchinarti al futuro. La nostra sottomissione all'avvenire è una religione spuria, un culto segreto di popoli oppressi. Siamo come gli indigeni delle Americhe che, convertiti a fil di spada dai *conquistadores* cattolici, si piegavano a venerare le statue della Vergine Maria perché, nelle cavità del legno in cui le avevano intagliate, avevano nascosto i feticci dei loro antichi dei beffardi e priapici. Noi genitori imploriamo il futuro, la sua benevolenza, perché nelle sue cavità abbiamo nascosto le piccole miserie del nostro presente.

Ma anche questa ennesima ipocrisia, questa ulteriore, piccola infedeltà è un bene, tutto sommato. Ci serve a guarire, almeno un poco, dalla malattia della nostra epoca, quella che ci spinge a misurare il tempo sul metro corto del presente. Curarti dei figli, amarli, ha senso soltanto se misuri la tua esistenza su archi temporali più ampi. Se li vivi, invece, nell'orizzonte angusto della cronaca, avere dei figli può significare solamente un altro pannolino da cambiare, un'altra notte di sonno perduto, giorno dopo giorno dopo giorno. Se, al contrario, i figli li osservi con uno sguardo lungimirante, a volo d'uccello, allora divengono il sale della terra. Per far questo, però, è necessario che i morti battano le ore per i vivi, i morti e i non ancora nati. Devi riuscire a scagliare lontano la pietra di confine e poi dire ai tuoi eredi: "È tutto tuo, fin dove la vista si perde." Non è facile, lo so. Non ci sono più padri a insegnartelo, né in cielo né in terra. Riguardo a questo, siamo tutti fratelli.

E allora eccoci qui a fare il gioco del futuro. Che cosa ricorderà Anita della sua infanzia? mi chiedo. Ricorderà forse quella volta in cui, scendendo a piedi dalla piazza del paese lungo l'antica scalinata a strapiombo sul mare, tra i muretti a secco e i giardini di limoni, tenendolo per mano, dopo molti anni di confino in una svagata dimenticanza condusse suo padre a riscoprire il mistero della notte? "Tutto è grande," gli disse trepidante, avventurosa e contenta, "la chiesa è grande, la luna è grande, le foglie sono grandi." Poi, a un tratto, all'imbocco del pianoro dove la vista si apre sulla costa, trasalì: "Babbo, guarda com'è notte!"

O forse nessuno le ricorderà mai queste cose memorabili, questi piccoli frammenti domestici filmati su un videofonino senza spettatore. Se così fosse, si ridurrebbe tutto più o meno a una completa scemenza. Ma io non ci credo. Sono padre, non posso perdere la fede, e perciò mi prostro di nuovo, volentieri, ai piedi del futuro. Che cosa, dunque, ricorderà di me mia figlia?

Le lascerò la mia collera, sempre risorgente per quanto abbattuta, le mie patetiche, inconcludenti notti di caccia, il mio non aver saputo amare sua madre nel modo in cui lei avrebbe voluto? Le lascerò il piccolo dramma di un uomo cui non riusciva, per quanto si sforzasse, di conciliare la fedeltà del padre con la fedeltà a se stesso?

Ma forse no. Forse sarà tutto più semplice, più lieve, più sereno. Forse mia figlia, quando dal futuro si volterà indietro, guardando oltre la spalla della tormentata narrazione paterna di questa loro comune infanzia, non ritroverà, a consuntivo di tutto, il trascurabile turbamento di queste mie pagine, ma il ricordo di un uomo gentile e della sua bambina amatissima che siedono fianco a fianco sullo stesso muretto basso, a contemplare, sorbendo lei il suo succo di frutta alla pesca e lui la sua sigaretta, la ruspa che demolisce un grande edificio per poi ricostruirne uno più bello e più grande. Ecco cosa è stato, penserà, mio padre per me. Un uomo grande e grosso, accovacciato su un muretto basso, magari incapace d'altro ma capace, con la sua rassicurante, inesorabile presenza, di trasformare un'opera di demolizione nell'incantevole spettacolo del mondo.

Chissà, forse saremo fortunati, forse Anita penserà questo di me. Io certo l'ho pensato di lei. Il resto è strepito sciocco. Vanità di vanità. Il resto non ci riguarda.

Epilogo

La giovane donna avanza con incedere svelto. È alta, snella, longilinea. Si muove con disinvoltura sui tacchi, mettendo agile un passo dopo l'altro. Eppure nel suo movimento c'è qualcosa di grave. Un impercettibile strascicamento, appena un accenno, un'ombra di riluttanza nell'articolazione dell'anca le conferiscono la faticosa solennità di un popolo che si metta in marcia. Cammina con la maestà di una migrazione.

Tutto nella sua figura suggerisce il tipo femminile della bionda. Invece è mora. Porta confitti nell'ovale del volto due grandi occhi scuri, non privi di una vaga nota malinconica. Una sfumatura, l'eco di una risonanza. È bella la ragazza. Non della bellezza che i maschi fischiano per strada, ma di quella che allieta uomini e donne quando entra in una stanza. Sta da qualche parte a mezza strada tra i venticinque e i trent'anni.

Imboccando la via da piazza Carlo Erba, si gira a guardare alla sua destra l'edificio residenziale progettato da Peter Eisenman. Ne ammira l'andamento sinuoso, le facciate curve rivestite alla base di marmo travertino – la pietra che costruì Roma antica – e di marmo di Carrara su in cima – la pietra che costruì il Rinascimento fiorentino. L'effetto complessivo, però, è un richiamo al lifestyle urbano newyorkese. Piccoli giardini pensili si affacciano dai loggiati, serre eco-climatiche li impreziosiscono nelle superfici arretrate. Del palazzo d'inizio Novecento i progettisti hanno conservato soltanto la facciata che prospetta sulla piazza. Il resto è stato demolito e poi ricostruito. Il complesso abitativo è risorto dove un tempo c'erano gli uffici delle assicurazioni Zurigo, e prima ancora quelli della Rinascente, e prima ancora quelli del gruppo editoriale Rizzoli, e prima ancora le celle di un carcere femminile.

La giovane donna gira la testa per guardare l'edificio ma non si ferma. Pochi metri più avanti, però, qualcosa la rallenta. Non esita, non sosta, si acquieta piuttosto. Come se un invisibile addensarsi dell'atmosfera in quel punto ne frenasse dolcemente il passo.

Alla sua sinistra, a delimitare il versante aperto di un minuscolo giardino pubblico, sta un muretto basso di mattoni rossi e lisi. La ragazza china il capo, lo accarezza con lo sguardo. Le sorridono gli occhi. Poi tira dritto.

Ringraziamenti

Ringrazio Cesare Battisti, chef del Ratanà di Milano, e Viviana Varese e Sandra Ciciriello del ristorante Alice, per avermi aiutato a comprendere, almeno in parte, il mondo dell'alta ristorazione. Il carattere del personaggio di questo romanzo, le sue idee, le sue storture sono da imputarsi esclusivamente alla mia invenzione. Sono poi grato al mio amico Oscar Farinetti, patron di Eataly, che mi ha aperto gli occhi sul significato del cibo nella nostra società e sul valore della buona tavola.

Una diversa gratitudine, vasta quanto la vita, va a Luigi, mio padre, e a Rosaria, mia madre, che mi hanno insegnato a essere genitore. Anche in questo caso, gli errori sono solo miei.

Ultima ma non ultima, ringrazio Paola, che mi ha reso padre.

Indice

PARTE TERZA

PARTE QUARTA